es 1967
edition suhrkamp
Neue Folge Band 967

Jürgen Habermas zeigt sich in diesem Buch erneut als der intellektuelle Analytiker und Kritiker der politisch-aktuellen Entwicklung der Bundesrepublik. So wie er im Historikerstreit gegen die Normalisierung der nationalsozialistischen Vergangenheit argumentiert hat, so richten sich die in diesem Band versammelten Beiträge gegen einen neuen Normalisierungsversuch, der seinen Ausgangspunkt in den Ereignissen des Jahres 1989/90 hat. Starke Tendenzen behaupten, mit einem vereinten Deutschland sei eine Anormalität, nämlich die Zweiteilung Deutschlands, überwunden und Deutschland könne und müsse nun als »normale Nation« seine Rolle in der Weltpolitik nachdrücklich wahrnehmen. Jürgen Habermas zeigt dagegen auf, daß gegen Ende unseres Jahrhunderts die Betonung des Nationalstaates nicht nur anachronistisch, sondern politisch-kulturell schädlich ist, eigneten doch aufgrund der gegenwärtigen Globalisierungstendenzen nationalstaatlichen Regelungsversuchen auf ökonomischer, politischer und kultureller Ebene sowohl in der Innen- als auch in der Außenpolitik nur negative Konsequenzen. »Heute müssen wir das republikanische Erbe des Nationalstaates auf europäischer Ebene zu erhalten suchen. Als Teil eines größeren, zur Solidarität genötigten Ganzen würde diese Republik nicht länger den Argwohn der Nachbarn gegen Supermark und Großmachtaspiration wecken. Statt von Berlin aus klirrende Entscheidungen zu treffen, müßte sie in Straßburg und Brüssel Mehrheiten gewinnen.«

Jürgen Habermas
Die Normalität einer
Berliner Republik

Kleine Politische Schriften VIII

Suhrkamp

edition suhrkamp 1967
Neue Folge Band 967
Erste Auflage 1995
© Suhrkamp Verlag Frankfurt am Main 1995
Erstausgabe
Alle Rechte vorbehalten, insbesondere das der Übersetzung,
des öffentlichen Vortrags
sowie der Übertragung durch Rundfunk und Fernsehen,
auch einzelner Teile.
Satz: Gutfreund, Darmstadt
Druck: Nomos Verlagsgesellschaft, Baden-Baden
Umschlagentwurf: Willy Fleckhaus
Printed in Germany

2 3 4 5 6 – ∞ 99 98 97 96 95

Inhalt

Vorwort

Incertitudes allemandes – von neuem zieht sich die Spur deutscher Ungewißheiten durch die Politik und die öffentliche Szene des vereinigten Deutschland, vom Golf-Krieg[1] über die Asyldebatte[2] und den Umgang mit der Stasi-Vergangenheit bis zu den Gedenktagen des Jahres 1995. Es fehlt die intellektuelle Zuspitzung auf klare Alternativen. Die den vorliegenden Band abschließende Rede zur Zäsur von 1945 und zur »Normalität« einer künftigen Berliner Republik bündelt Motive, die mich bei meinen politischen Interventionen der letzten Jahre[3] geleitet haben.

Starnberg, im März 1995   *J. H.*

1 J. Habermas, *Ein Plädoyer für Zurückhaltung, aber nicht gegenüber Israel, Die Zeit* vom 8. Februar 1991
2 J. Habermas, *Die zweite Lebenslüge der Bundesrepublik, Die Zeit* vom 11. Dezember 1992; ders., *Die Festung Europa und das neue Deutschland, Die Zeit* vom 28. Mai 1993
3 J. Habermas, *Vergangenheit als Zukunft*, Zürich 1993

1. Aus der Geschichte lernen?

Michael Stürmer hat (in einem Leitartikel der *FAZ* vom 27. Dezember 1993) eine Frage wiederholt, welche die alte Bundesrepublik seit den siebziger Jahren beschäftigt hat und die seit 1989 den Elitennationalismus des neuen Deutschland – von Schäuble bis Heitmann – erst recht in Schwung bringt: »In zunehmenden Begründungsnöten aber erhebt sich die Frage, wie lange es dem steinernen Gast aus der Vergangenheit noch gestattet sein soll, für alle Zukunft und alle Vergangenheit über Bürgertugend und Vaterlandsliebe sein Veto zu werfen.« Das Menetekel des steinernen Gastes muß man wohl so verstehen: um wieder eine normale Nation zu werden, sollten wir uns der selbstkritischen Erinnerung an Auschwitz erwehren. Der Historiker, der doch selbst in der Rolle eines Geschichtspädagogen auftritt, empfindet offenbar den Impuls, aus der Geschichte lernen zu wollen, als einen Fluch.

Mit dieser Absicht ist es auch nicht ganz so einfach bestellt, wie es scheint. Läßt sich überhaupt aus der Geschichte lernen? Gestatten Sie mir, bevor ich darauf zu antworten versuche, einen Rückblick. Denn wir sind nicht die ersten, die sich diese Frage stellen.

I.

Reinhart Koselleck hat vor 25 Jahren den alten Topos von der Geschichte als »Lehrmeisterin« seinerseits einer lehrreichen historischen Kritik unterzogen.[1] Die »Geschichte«,

---

1 *Historia Magistra Vitae*, in: R. Koselleck, *Vergangene Zukunft*, Frankfurt/M. 1979, S. 38-66.

die in der alten Formel der ›Historia Magistra Vitae‹ auftritt, hatte für die Alten nicht die Bedeutung, die wir ihr heute beilegen; gemeint war noch nicht das Ganze des historischen Lebenszusammenhangs, also Geschichte im Singular, sondern das Auf und Ab der vielen einzelnen Geschichten, von denen die eine oder andere Begebenheit den Nachgeborenen als Exempel für ihr eigenes Handeln dienen mochte. Die lateinische Formel geht auf Cicero zurück, und noch für Machiavelli oder Montaigne bildete die Geschichte eine Quelle exemplarischer Begebenheiten. Nur einem anthropologischen Blick, für den sich die Handlungen vergangener und gegenwärtiger Generationen wesentlich *gleichen*, kann sich die Geschichte als ein solcher Schatz überlieferungswürdiger und nachahmenswerter Beispiele präsentieren. Lernen kann man nur aus einer Geschichte, die sich wiederholt; und nur die können aus ihr lernen, die sich in ihrer Natur ähnlich bleiben. ›Historia Magistra Vitae‹ – dieser Topos behielt seine Überzeugungskraft nur so lange, bis der historische Sinn für das Einmalige und das Neue den anthropologischen Sinn für das Wiederkehrende im stets Veränderlichen ablöste.

Koselleck zeigt, daß es seit der Herausbildung des historischen Bewußtseins am Ende des 18. Jahrhunderts mit der klassischen Rolle der Historie als Lehrmeisterin vorbei ist. Diese Lehre zieht er freilich selber aus einer historischen Betrachtung. Dabei kann er einem performativen Selbstwiderspruch nur deshalb entgehen, weil auch fortan der »Nutzen der Historie für das Leben« nicht geradewegs bestritten, nur anders verstanden wird. Man sucht ihn jetzt nicht mehr in der überlieferten Rezeptweisheit für typische Schwierigkeiten, sondern in der gelehrten Aufklärung über die jeweils eigene, historisch eingebettete, aus Vergangenheit und Zukunft gleichsam angestrahlte Situation. Geschichte als Aufklärung und historische Selbstverständigung kann allerdings ganz Verschiedenes bedeuten.

Die *Geschichtsphilosophie* nimmt das Schillersche Wort von der Weltgeschichte als dem Weltgericht ernst und entschlüsselt retrospektiv die grausam-ironische List der Vernunft, die sich hinter dem Rücken der bewußtlos handelnden Menschen durchsetzt. Während Hegel aus dieser Geschichtsbetrachtung die fatalistische Lehre zog, daß für die Handelnden alle Lehren zu spät kommen, wollte Marx, daß die Geschichtsphilosophie selbst den künftigen Generationen zur Lehre dient. Ihnen sollte die Erkenntnis des naturwüchsigen Verlaufs der bisherigen Geschichte zu der Einsicht verhelfen, daß sie sich in Zukunft zu Subjekten ihrer eigenen Geschichte emanzipieren können – also zu Autoren machen können, die ihre Geschichte, wenn auch nicht unter selbstgewählten Umständen, mit Willen und Bewußtsein produzieren. Hier verschmilzt das historische mit einem utopischen Bewußtsein, das die Grenzen der Machbarkeit der Geschichte überdehnt.

Die Geschichtsphilosophie, die die Vergangenheit nur aus dem Horizont des eigenen Zukunftsentwurfs vergegenwärtigt, ist von Anbeginn auf die Kritik der *Deutschen Historischen Schule* gestoßen. Diese hat gegen den Aktualismus ein ganz anderes, eben historisches Bewußtsein zur Geltung gebracht. Ranke bestritt der Historie das Amt, die Vergangenheit zu richten und die Mitwelt zum Nutzen künftiger Generationen zu belehren. Die damals im Entstehen begriffenen Geisteswissenschaften sollten durch eine objektivierende Vergewisserung früherer Epochen und Lebensformen zeigen, wie es eigentlich gewesen ist. Der geschichtlich gewachsene Lebenszusammenhang der Völker kennt Blüte und Verfall, aber keinen Fortschritt. Deshalb kann und soll das historische Verstehen nicht zu Interventionen anleiten. Gleichwohl behält auch die kontemplative

Vergegenwärtigung des Ungleichzeitigen einen mittelbaren Bezug zur Praxis insofern, als der historisch gebildete Geist lernt, die eigene Welt im Spiegel fremder Welten, also sich im anderen, zu erkennen. Der Historismus ist freilich stets in Gefahr, der ins Museum gesperrten und ästhetisch aufbereiteten Vergangenheit über die zur Passivität verurteilte Gegenwart ein lähmendes Übergewicht zu verleihen; gegen diese genießende Historie hat Nietzsche mit seiner *Zweiten Unzeitgemäßen Betrachtung* aufbegehrt.

Der Historismus raubt einer wissenschaftlich sterilisierten Überlieferung die Vitalität einer *bildenden* Kraft. Aus dem Mißtrauen gegen ein derart anästhesierendes »Erleben« ist die *Hermeneutik* hervorgegangen, die sich zu Dilthey verhält wie Marx zu Hegel: wie dieser der Geschichtsphilosophie, so bestreitet Gadamer den historischen Wissenschaften den Charakter einer bloß nachträglichen Kontemplation. Das Verstehen des Historikers ist gewiß immer schon überholt durch einen Überlieferungszusammenhang, der die hermeneutische Ausgangssituation und damit das Vorverständnis des Historikers bestimmt. Aber deshalb vollzieht sich durch das historische Verstehen hindurch zugleich die Fortbildung der angeeigneten Tradition. Aus dieser Sicht gewinnt das historische Geschehen einen aller Reflexion vorausliegenden Kern von Geltung. Eine Tradition zieht ihre verpflichtende Kraft insbesondere aus der geistigen Autorität von Werken, die gegen den Sog von Kritik und Vergessen einen klassischen Rang behaupten; klassisch ist, wovon die Nachgeborenen immer noch lernen können. Diese Bestimmung des Klassischen kommt freilich einer Tautologie verdächtig nahe. Wer garantiert uns, daß es bei der Kanonbildung mit rechten Dingen zugeht, daß nicht nur das als klassisch gilt, was bestimmte Leute jeweils »klassisch« nennen? Das Werk von Marx etwa hat erst spät klassische Geltung erworben – und schnell wieder verloren, nachdem dieser Name parteilich vereinnahmt und mit unglaubwürdigen Klassikern wie Engels und Lenin oder gar Stalin in einem Atemzug genannt worden war.

Eine andere Tautologie schleicht sich dadurch ein, daß sich der Sinn unserer Ausgangsfrage unter der Hand verschiebt: die Hermeneutik ist weniger daran interessiert, daß wir aus den *Begebenheiten* der Geschichte selbst als vielmehr aus Texten, also aus überlieferten und dogmatisch autorisierten Lehren, lernen. Darauf komme ich gleich zurück.

II.

Die drei modernen Lesarten, die ich genannt habe, sollten uns nicht darüber täuschen, daß das traditionelle Verständnis von der Geschichte als Lehrmeisterin keineswegs ganz außer Kurs geraten ist. Denken Sie an Ihre letzten Volkskammerwahlen im Frühjahr 1990, als die aus dem Westen eingeflogenen Politiker der Bevölkerung einredeten, daß sie nur das Modell der Währungsreform von 1948 nachzuahmen brauchten, um die verwüstete DDR in »blühende Landschaften« zu verwandeln. Diesem Propagandazweck sollten auch jene Werbespots mit Ludwig Ehrhard und seinem Dackel dienen, die der damalige Regierungssprecher Klein für die Aufklärung der DDR-Bevölkerung hatte vorbereiten lassen. Historia Magistra Vitae – die Neubürger sollten aus der Erfolgsgeschichte der alten Bundesrepublik lernen.

Aber auch in seinen modernen Lesarten kann uns der Topos nicht mehr ohne weiteres davon überzeugen, daß wir aus der Geschichte überhaupt lernen können. Offensichtlich erkennt die Geschichtsphilosophie ein bißchen zuviel Vernunft in der Geschichte – und der Historismus zuwenig.

Die eine rechnet mit einem zu großen, der andere mit einem zu geringen Handlungsspielraum. Beide vertrauen, ob nun forsch zukunftsorientiert oder der Vergangenheit verhaftet, auf die situationserhellende Kraft der historischen Bildung. Im einen Fall soll uns die Stimme der Vernunft belehren, im anderen Fall der Vergleich des Eigenen mit dem Anderen. Dabei ist die alte Vorstellung von der Geschichte als Lehrmeisterin gewiß von den vielen einzelnen Geschichten auf einen alles vernetzenden historischen Lebenszusammenhang übergegangen; aber »die« Geschichte bleibt Quelle von etwas Wissenswertem, weil wir ihr nach wie vor Maßstäbe und Werte, so scheint es, entnehmen können. Die Hermeneutik schließlich projiziert diese Kraft des Vorbildlichen auf eine klassische Überlieferung; dieses anonyme Geschehen übernimmt die Regie und stellt die Interpretationsleistungen der Nachgeborenen in Dienst, um sich selbst wirkungsgeschichtlich zu verstetigen. Alle drei Versionen teilen also die merkwürdige Prämisse, daß wir aus der Geschichte nur lernen können, wenn sie uns etwas Positives, etwas der Nachahmung Wertes zu sagen hat. Das ist merkwürdig, weil wir normalerweise aus *negativen* Erfahrungen, eben aus Enttäuschungen, lernen. Enttäuschungen sind es, die wir in Zukunft zu vermeiden suchen. Das gilt für die kollektiven Schicksale der Völker nicht weniger als für die individuellen Lebensgeschichten – und deren Kindheitsmuster.

Allerdings hat die hermeneutische Rechtfertigung der Geschichte als einer klugen Lehrmeisterin für Philosophen und Schriftsteller, überhaupt für Intellektuelle und Geisteswissenschaftler prima facie etwas Überzeugendes. Tatsächlich lernen wir ja aus unseren Traditionen, bewegen wir uns zeitlebens in Gesprächen mit Texten und Geistern, die über weite historische Abstände hinweg zeitgenössisch geblieben sind. Solange die Substanz dessen, was Kant und Hegel gesagt und geschrieben haben, nicht aufgezehrt ist, *bleiben* wir eben deren Studenten. Das gleiche gilt für alle Traditionen, die uns geprägt haben und die sich immer wieder von neuem so bewähren, daß sie von den nachwachsenden Generationen fortgeführt werden.

Andererseits steht das suggestive Bild von der Mentorenrolle einer wissenswerten Überlieferung gar nicht zur Diskussion, wenn wir uns fragen, ob wir und wie wir aus der Geschichte lernen können. Nicht vom lautlosen Wirken einer mentalitätsprägenden Überlieferung, nicht von kultureller Eingewöhnung und Sozialisation ist dann die Rede, sondern von Lernprozessen. Und diese werden von Erfahrungen ausgelöst, die uns zustoßen, von Problemen, die auf uns zukommen und an denen wir oft auf schmerzlichfolgenreiche Weise scheitern. Aus tragenden Traditionen lernen wir stets auf unauffällige Weise; die Frage ist aber, ob wir aus jenen *Begebenheiten* lernen können, in denen sich das Versagen von Traditionen spiegelt. Ich spreche insbesondere von den Situationen, wo die Beteiligten den sie bedrängenden Problemen mit ihren erworbenen Einstellungen, Interpretationen und Fähigkeiten nicht gewachsen sind; ich meine enttäuschende Situationen, wo Erwartungshorizonte – und damit die erwartungsstabilisierenden Überlieferungen selbst – in eine Krise geraten. Wenn die Geschichte überhaupt zur Lehrmeisterin taugt, dann als eine kritische Instanz, an der, was wir im Lichte unseres kulturellen Erbes bislang für richtig gehalten haben, scheitert. Dann fungiert die Geschichte als eine Instanz, die uns nicht zu Nachahmungen, sondern zu Revisionen herausfordert.

Für meine Generation war das Jahr 1945 ein solches augenöffnendes Datum; es hat im Rückblick Aufstieg, Fall und Verbrechen des Naziregimes enthüllt, nämlich als eine Kette von kritischen Begebenheiten sehen lassen, die das entsetzliche Scheitern einer kulturell hoch entwickelten Bevölkerung offenbar machte. Dieses Jahr hat mindestens die deutschen Intellektuellen zu einer skrupulösen Überprüfung einer gescheiterten Tradition herausgefordert. Wir mußten uns über die Selektivität einer eigentümlich verstümmelten Wirkungsgeschichte klar werden. Diese hatte einen Kant ohne Mendelssohn, einen Novalis ohne Heine, einen Hegel ohne Marx, C. G. Jung ohne Freud, Heidegger ohne Cassirer, Carl Schmitt ohne Hermann Heller präsentiert; sie hatte eine Philosophie ohne Wiener und ohne Frankfurter Schule, juristische Fachbereiche ohne Rechtspositivismus, eine Seelenkunde ohne Psychoanalyse übriggelassen; sie hatte aus Jakob Böhme, Hamann, Baader, Schelling und Nietzsche den antiwestlichen Popanz einer »deutschen« Philosophie errichtet.

Was damals endgültig problematisch geworden war, ging freilich nicht nur die Intellektuellen an. Der zuoberst gekehrte irrationalistische Unterstrom der deutschen Überlieferung hatte schon 1914 große Teile der Bevölkerung ergriffen und gegen die »Ideen von 1789« mobilisiert; er hatte die vernunftrechtlichen Grundlagen von Demokratie und Rechtsstaat als Ausgeburten eines mechanistischen Denkens hinweggespült, hatte alte, jetzt ins Rassistische gewendete antisemitische Stereotype auch im gebildeten Bürgertum und seiner Mandarinenkultur hoffähig gemacht. Wer heute, wie der Vorsitzende der stärksten Bundestagsfraktion, die rechtsstaatliche Trennung von Armee und Polizei in Frage stellt; wer, wie seinerzeit der Generalsekretär der CDU oder heute der bayerische Ministerpräsident, fremdenfeindliche Ressentiments schürt, rührt an solche Traditionen; und er muß wissen, daß er an Traditionen rührt, die schon einmal an der kritischen Instanz der Geschichte gescheitert sind. Wer gar diese Instanz selbst als »steinernen Gast der Vergangenheit« herauskomplimentieren möchte, zeigt nur, daß er aus der Geschichte nichts lernen will.

Gewiß ist es die Perspektive einer bestimmten Generation, aus der sich 1945 in dieser Weise als herausfordernde Zäsur abzeichnet. Aus anderen Perspektiven erscheinen andere Daten als ebenso einschneidend. 1989 ist eine Zäsur, die auch dem letzten die Augen über Aufstieg, Fall und Verbrechen des Sowjetregimes geöffnet hat; diese Kette von Begebenheiten belehrt uns über das Scheitern eines beispiellosen, auch beispiellos unverantwortlichen Menschheitsexperiments. Noch steht das Datum in den Sternen, das eines Tages das Scheitern eines anderen, anonym über den Weltmarkt ausgeübten Regimes anzeigen könnte. Die seit dem Ende des Zweiten Weltkriegs ausgebaute internationale Wirtschaftsordnung scheint nicht einmal in der Lage zu sein, innerhalb der OECD-Gesellschaften der wachsenden Arbeitslosigkeit oder wenigstens der Obdachlosigkeit zu steuern, geschweige denn die wachsenden Disparitäten zwischen den insgesamt wohlhabenden Ländern und dem verelendeten, weiter verelendenden Rest der Welt wenigstens in Grenzen zu halten.

Aus der Geschichte lernen? Das ist eine jener Fragen, auf die es theoretisch befriedigende Antworten nicht gibt. Die Geschichte mag allenfalls eine kritische Lehrmeisterin sein, die uns sagt, wie wir es *nicht* machen sollen. Als solche meldet sie sich freilich nur zu Wort, wenn wir uns *eingestehen*, daß wir versagt haben. Um aus der Geschichte zu lernen, dürfen wir ungelöste Probleme nicht wegschieben und verdrängen; wir müssen uns für kritische Erfahrungen offenhalten; sonst werden wir historische Begebenheiten gar nicht erst als Dementis – als Belege für gescheiterte Erwartungen – wahrnehmen. Beispiele für solche Dementis liefert der Prozeß der deutschen Einigung; Beispiele anderer Art sind die rechtsradikalen Gewaltakte oder die ethnischen

Konflikte im ehemaligen Jugoslawien und anderswo, auch der Golf-Krieg und die Intervention in Somalia. Wenn wir aus solchen Enttäuschungen lernen wollen, stoßen wir stets auf einen fragwürdig gewordenen Hintergrund von enttäuschten Erwartungen. Ein solcher Hintergrund bildet sich stets aus Traditionen, Lebensformen und Praktiken, die wir als Angehörige einer Nation, eines Staates oder einer Kultur teilen – aus Überlieferungen, die durch ungelöste Probleme aufgescheucht und in Frage gestellt sind. Michael Stürmers Appell an den fraglosen Besitz von »Bürgertugend oder Vaterlandsliebe« ist hingegen der sicherste Weg, um sich gegen Lehren aus der Geschichte zu immunisieren.

2. Doppelte Vergangenheit

Was bedeutet
»Aufarbeitung der Vergangenheit« heute?

I.

Adorno hat im Jahre 1959 unter dem Titel: *Was bedeutet: Aufarbeitung der Vergangenheit?* einen berühmt gewordenen Vortrag gehalten. Seitdem hat sich dieser Terminus bei uns durchgesetzt. Freud hatte von »Durcharbeiten« und »Bewußtmachen« gesprochen. Aus dieser psychoanalytisch aufgeklärten Perspektive behandelte auch Adorno die heute wiederum aktuell gewordene Frage, »wie weit es geraten sei, bei Versuchen zu öffentlicher Aufklärung aufs Vergangene einzugehen, und ob nicht gerade die Insistenz darauf trotzigen Widerstand und das Gegenteil dessen bewirke, was sie bewirken soll«. Adorno meinte damals, »das Bewußte könne niemals so viel Verhängnis mit sich führen wie das Unbewußte, das Halb- und Vorbewußte. Es kommt wesentlich darauf an, in welcher Weise das Vergangene vergegenwärtigt wird; ob man beim bloßen Vorwurf stehenbleibt oder dem Entsetzen standhält durch die Kraft, selbst das Unbegreifliche noch zu begreifen ... Was immer propagandistisch geschieht, bleibt zweideutig.« Adornos Antwort ist ambivalent. Einerseits beharrt er auf der schonungslosen Reflexion einer kränkenden Vergangenheit, die uns mit einem anderen Selbst konfrontiert als dem, das wir zu sein glauben und sein möchten. Auf der anderen Seite kann diese Reflexion nur dann heilen, wenn sie nicht von außen als Waffe gegen uns eingesetzt wird, sondern von innen als Selbstreflexion wirksam wird: »Was propagandistisch geschieht, bleibt zweideutig.« Diese dialektische Antwort nennt Maßstäbe für die Beurteilung der gegenwärtigen Diskussion.

Adornos Bekenntnis zur Aufarbeitung der eigenen Vergangenheit verrät keineswegs blauäugiges Vertrauen in die Dynamik des Bewußtmachens, sondern nur die Einsicht, daß es heute, unter Bedingungen nachmetaphysischen Denkens, keine Alternative mehr gibt zur Selbstreflexion, wenn es um Fragen der Selbstverständigung geht. Der Pluralismus gleichberechtigter Lebensformen, die ihrerseits Raum lassen für individualisierte Lebensentwürfe, verbietet die Orientierung an feststehenden und für alle maßgeblichen Modellen. Aristoteles hatte noch die Polis als verbindliche Lebensweise auszeichnen können, nach der sich das Ethos der Menschen richten sollte. Aber heute kann sich das Gelingen oder Verfehlen des eigenen Lebens nicht mehr an exemplarischen Inhalten bemessen, sondern nur noch am formalen Gesichtspunkt der Authentizität. Nicht zufällig haben Kierkegaards Existenzphilosophie und Freuds Psychoanalyse die Nachfolge der metaphysisch und religiös begründeten Ethiken angetreten. Jeder muß auf andere Weise er selbst sein. Wie das möglich ist, muß er herausfinden, indem er prüft, wer er ist und sein möchte. Kierkegaards Analyse des Selbstseinkönnens kehrt den Aspekt der Verzeitlichung hervor, Freuds Analyse unbewußter Motive den der Aufklärung. Eine kohärente und wahrhaftige Selbstdeutung soll uns dadurch gelingen können, daß wir uns die eigene Lebensgeschichte kritisch aneignen und verantwortlich übernehmen. Das verlangt auch die Kritik von Selbsttäuschungen, mit denen wir moralisch anstößige Wünsche und Verhaltensweisen vor uns selbst verbergen. Der Lebensentwurf und das Bild der Person, als die wir anerkannt werden möchten, dürfen nicht gegen Verhaltenserwartungen verstoßen, die im gleichmäßigen Interesse aller liegen. Deshalb verschränken sich in dieser speziellen Selbsterfahrung moralische Bewertungen mit einem veränderten ethischen Selbstverständnis.

Solche Probleme stellen sich freilich nicht nur aus der Perspektive der ersten Person Singular, aus der wir uns über unsere je eigene Existenz aufzuklären versuchen; sie stellen sich auch in Zusammenhängen einer ethisch-politischen Selbstverständigung, die wir als Bürger eines Gemeinwesens aus der Perspektive der ersten Person Plural vornehmen – vor allem dann, wenn dieses Gemeinwesen mit einer politisch kriminellen Vergangenheit belastet ist. Die unvoreingenommene historische Erforschung der Tatsachen und der Ursachen einer fehlgeschlagenen politischen Entwicklung ist eines; ein anderes ist die kritische Aufarbeitung der eigenen Geschichte aus der Sicht der in sie verstrickten Generationen. Aus der Sicht von Beteiligten geht es um Identitätsfragen, um die Artikulation eines aufrichtigen kollektiven Selbstverständnisses, das gleichzeitig Maßstäben politischer Gerechtigkeit genügt und die tieferen Aspirationen einer durch ihre Geschichte geprägten politischen Gemeinschaft zum Ausdruck bringt. Je weniger Gleichberechtigung und menschenwürdige Gemeinsamkeit ein repressiver Lebenszusammenhang im Inneren einmal gewährt, je mehr er sich zuvor nach außen durch Usurpation und Zerstörung fremden Lebens erhalten hatte, um so fragwürdiger ist die Kontinuität jener Überlieferungen geworden, welche die Identität des Gemeinwesens bestimmen, um so größer die ererbte Bürde einer gewissenhaft sondierenden Aneignung dieser Traditionen. Nun stehen Überlieferungen keinem einzelnen zur Disposition, sondern sind gemeinsamer Besitz. Deshalb lassen sie sich in bewußter Weise auch nur im Medium des öffentlichen Streits um die jeweils richtige Interpretation verändern.

Die öffentlich ausgetragene ethisch-politische Selbstverständigung ist die zentrale, wenngleich nur eine Dimension dessen, was Adorno »Aufarbeitung der Vergangenheit« genannt hat. Sie mag sich in Kanäle von Publizistik und Massenmedien, von Volks- und Schulpädagogik, von wissenschaftlicher und literarischer Öffentlichkeit, von Bürgerforen und staatlichen Enquetekommissionen verzweigen. Aber sie darf nicht *verwechselt* werden mit der existentiellen Aufarbeitung persönlicher Schuld und der juristischen Verfolgung strafbarer Handlungen. Schuld im moralischen wie im rechtlichen Sinne wird einzelnen Personen zugerechnet, während die Bürger eines politischen Gemeinwesens für die darin praktizierten oder gar legalisierten Verletzungen menschlicher Würde »haften«. Gewiß gehört zu den mentalitätsbildenden Effekten einer rechtsstaatlichen Praxis auch die Erfahrung, daß der demokratische Staat den einzelnen Bürgern ein postkonventionelles moralisches Bewußtsein zumutet. Gewiß kann die Gesamtheit der Bürger den einzelnen ein mehr oder weniger großes Maß an Selbstprüfung ansinnen und beschließen, die Mittel des Strafrechts mehr oder weniger weit auszuschöpfen. Aber in den öffentlich geführten Diskursen jenseits der Strafjustiz dürfen sich die Beteiligten nur auf Fragen einlassen, die aus der Perspektive der ersten Person Plural auch beantwortet werden können. Das sind Fragen der politischen Gerechtigkeit und solche der kollektiven Identität, auch ein unter diesen normativen Gesichtspunkten gebotener Wechsel der Eliten. Soweit es nicht um die Besetzung öffentlicher Ämter geht, dürfen die Handlungen und Schicksale einzelner Personen in diesem Zusammenhang nur den exemplarischen Sinn haben, typische Verstrickungen zu illustrieren. Auch die in der Öffentlichkeit ad personam erhobenen moralischen Vorwürfe müssen auf die Herstellung politisch gerechter Verhältnisse bezogen bleiben; sie zielen nicht auf die existentielle Selbstverständigung des einzelnen und sind erst recht kein Substitut für Gerichtsurteile, die allein das Ergebnis eines nach der Strafprozeßordnung ablaufenden Verfahrens sein können.

Personalisierung und Tribunalisierung lassen den Fokus von öffentlichen Selbstverständigungsdebatten unscharf werden. Beides signalisiert eine Überlastung mit Fragen, die der privaten Rechenschaft oder dem juristischen Urteil vorbehalten bleiben sollten. Damit die ethisch-politische Aufarbeitung der Vergangenheit eine mentalitätsbildende Kraft erlangen und für eine freiheitliche politische Kultur Anstöße geben kann, muß sie allerdings durch juristische Verfahren und die Unterstellung einer gewissen Bereitschaft zur existentiellen Selbstprüfung ergänzt werden. So ist die Aufarbeitung der Vergangenheit ein mehrdimensionales und arbeitsteiliges Unternehmen.

II.

Die Bundesrepublik öffnet die Akten über die Vergangenheit der DDR vorbehaltloser als ihre östlichen Nachbarn. Dieser Umstand erklärt sich nicht nur aus Ungleichzeitigkeiten der kulturellen und gesellschaftlichen Entwicklung oder aus Unterschieden der kulturellen Mentalität. Die Bevölkerung der ehemaligen DDR ist auch objektiv in einer anderen Lage als Ungarn, Tschechen, Slowaken und Polen. Zum einen hat sie ihre eigene staatliche Existenz aufgegeben und muß nun bis auf weiteres mit den zwischen Ost- und Westdeutschen bestehenden Asymmetrien des Wohlstands, der sozialen Sicherheit und des historischen Erfahrungszusammenhangs leben. Sie muß sich mit der massiven Mehrheit der »Nicht-Betroffenen« arrangieren, und das auf längere Zeit: »Vereint im Sinne nicht nur der Angleichung der Lebenschancen, sondern einer zunehmenden Übereinstimmung der Lebenslagen, zu der eine gemeinsame Zukunftsperspektive ebenso gehört wie eine miteinander geteilte historische Identität, werden erst jene Deutschen sein, die nach dem 3. Oktober 1990 geboren wurden« (Lepenies). Zum anderen bringt die Stasi-Vergangenheit eine zweite Vergangenheit, die Nazi-Vergangenheit, wieder zum Vorschein. Während die Völker jenseits von Oder und Neiße ihre Kollaboration verarbeiten müssen, standen die Deutschen auf der Seite der Täter. Die Rolle des besiegten Feindes hat von Anbeginn eine Sonderstellung der DDR innerhalb des Ostblocks begründet.

Eine andere Art von Sonderstellung ergibt sich aus dieser Geschichte heute für die DDR-Bevölkerung innerhalb des vereinigten Deutschlands. Weil die antifaschistischen Legitimationsfiguren des alten Regimes einer tiefreichenden Auseinandersetzung mit der NS-Vergangenheit eher im Wege gestanden haben, mehren sich im Osten des Landes Symptome jenes Aufarbeitungsdefizits, auf das übrigens Ministerpräsident de Maizière in seiner Antrittsrede überzeugend reagiert hat. Die asymmetrische Aufarbeitung der NS-Vergangenheit in Ost und West verrät sich beispielsweise in Kontroversen über die Gedenkstätte des KZ Buchenwald oder über den Bau jenes unseligen Supermarkts, der auf dem Gelände des ehemaligen KZ Ravensbrück errichtet werden sollte.

Allerdings hat die staatliche Vereinigung das politische Klima auch in Westdeutschland verändert. Die von prominenter Seite unternommenen Versuche, eine Vergangenheit, »die nicht vergehen will«, zu »normalisieren« oder in übergreifende nationalgeschichtliche Zusammenhänge »einzuordnen«, konnten drei Jahre vor der Vereinigung, im sogenannten Historikerstreit, noch einmal aufgehalten werden. Heute erhebt sich kaum mehr eine Stimme gegen die forschen Historiker, die ziemlich unverfroren die Kontinuitäten des Bismarck-Reichs herausstreichen oder den Modernisierungsschub des Nationalsozialismus gegen dessen Massenverbrechen aufrechnen. Die Entstasifizierung gilt als eine Art Entnazifizierung und legt nivellierende Vergleiche zwischen der ersten und der zweiten Diktatur, zwischen MfS und Gestapo nahe. Freilich ist die lockere Rede von den »beiden Diktaturen« immer noch besser als hintersinnige Differenzierungen, die das NS-Regime als eine vergleichsweise zivilisierte Herrschaftsform erscheinen lassen. Liberalkonservative mausern sich zu Deutschnationalen, Jungkonservative reden – wie während des Golf-Krieges – den Rechtsextremen nach dem Mund.

Natürlich überlassen sich nicht viele so ungeschminkt wie Ernst Nolte ihren Entlastungsbedürfnissen. Dieser projiziert auf die DDR all jene, weit hinter deren Anfänge zurückreichenden Schrecken, die den faschistischen Gegner posthum doch noch ins Recht setzen sollen: »Die DDR war der ältere deutsche Staat: älter als die Bundesrepublik, älter als das Dritte Reich, älter sogar als die Weimarer Republik. Natürlich war sie das nicht als anschaubare Realität. Aber die DDR war der Staat, von dem Lenin träumte, als er gleich nach seiner Oktoberrevolution die deutschen Arbeiter zum Aufstand gegen die blutbefleckten herrschenden Klassen aufrief; sie war der Staat, der hätte entstehen können, als im Januar 1919 viele Hunderttausende von Menschen gegen die schwache Regierung Ebert demonstrierten und bereit waren, dem Aufruf Karl Liebknechts zum Sturz der Regierung zu folgen; sie war der Staat, der Trotzki 1923 vor dem geistigen Auge stand, als er Generäle der Roten Armee abstellte, welche das Kommando der deutschen Revolutionstruppen beraten sollten; sie war der Staat, der nach Stalins Überzeugung 1933 entstehen mußte, wenn der kurzfristige Sieg des Hitler-Faschismus zu dem zwangsläufigen Zusammenbruch geführt haben würde. Aber die DDR war auch der Staat, den Hitler fürchtete, wenn er in seinen frühen Reden immer wieder vom ›Blutsumpf des Bolschewismus‹ sprach, in dem Millionen von Menschen zugrunde gegangen seien; und sie war der Staat, den 1933 alle die zahllosen ›bürgerlichen‹ Organisationen meinten, wenn sie sich selbst und anderen versicherten, der ›Volkskanzler Hitler‹ habe Deutschland im letzten Augenblick vor dem ›Abgrund des Bolschewismus‹ gerettet.« Zunächst schiebt Nolte den »einfachen Menschen« nur den »Eindruck« zu, »daß der ungeheure Apparat der Staatssicherheit in der DDR eine weit intensivere Bewachung der Bevölkerung zustande brachte als selbst die Gestapo«. Am Ende präsentiert er seine eigene Schlußfolgerung: »Es hilft kein Drehen und Wenden: Diejenigen, welche die DDR längst vor ihrer faktischen Entstehung fürchteten und haßten, waren nicht von vornherein im Unrecht.«

Ich erwähne die Träume dieses traumatisierten Geistersehers als ein extremes Beispiel dafür, auf welche Weise die Debatte um die Stasi-Vergangenheit den Interpretationsstreit um die NS-Vergangenheit wieder aufrührt. Dieser Subtext ist es, durch den sich die Aufarbeitung des stalinistischen Erbes bei uns von der in den östlichen Nachbarländern unterscheidet: »In Deutschland wird die doppelte Vergangenheit exekutiert, als wäre sie zweimal die gleiche gewesen, und was man nach 1945 versäumte, wird mit um so größerem Eifer nachgeholt« (Jäckel). Demgegenüber drängen Historiker wie eben Eberhard Jäckel auf Differenzierungen. Hier müssen drei Feststellungen genügen:

1. Die politische Kriminalität ist in beiden Fällen nicht nur von anderer Größenordnung, sondern auch von anderer Art. Die DDR hat keinen Weltkrieg mit fünfzig Millionen Opfern, keinen Völkermord in der Form industrialisierter Massenvernichtung zu verantworten. Die eigentlich stalinistischen Verbrechen auf deutschem Boden wurden noch unter dem sowjetischen Besatzungsregime verübt. Nur vier von vierzig Jahren DDR fielen in die Lebenszeit des Diktators. Gleichwohl hat auch das poststalinistische

Regime zahllose Verbrechen verübt – Morde und Folterungen, Todesschüsse an der Mauer, Entführungen, Zwangsadoptionen, Berufsverbote, eine systematische Post- und Telefonüberwachung, die Ausforschung und Disziplinierung Andersdenkender. Die politische Justiz war gnadenlos. Die Berliner Außenstelle des Bundesarchivs hat 125 000 Fälle von Menschenrechtsverletzungen registriert. Jeder einzelne Fall ist einer zuviel. Immerhin haben diese Kategorien von Verbrechen den Vorzug, daß sie leichter thematisiert werden können als jener sprachlos machende Zivilisationsbruch, der sich mit dem Namen Auschwitz verbindet – zumal dann, wenn die Opfer in großer Zahl überlebt haben und nicht wie die meisten Nazi-Opfer physisch vernichtet worden sind.

2. Die vergleichsweise lange Dauer des vierzigjährigen Regimes hat dem Leben in der poststalinistischen Gesellschaft eine Art von Normalität verliehen, die das Naziregime während seiner zwölfjährigen Herrschaft mit fünf Kriegsjahren nicht erlangt hat. Dieser Normalisierungseffekt scheint durch die panoptische Überwachung einer Bevölkerung, die eingemauert werden mußte, um nicht wegzulaufen, sogar noch verstärkt worden zu sein. Die fast totale Durchdringung der Gesellschaft mit einigen hunderttausend erpresserisch-jovialen Mitarbeitern eines gar nicht so unsichtbaren Staatssicherheitsapparats hatte anscheinend eine Kehrseite. Die Stasi verstand sich nicht nur als Organ der Unterdrückung und der sozialen Kontrolle, sondern zugleich als paternalistischer Betreuer und Privilegienverteiler, sogar als Ersatz für normale Kanäle der Interessenartikulation, die der bevormundeten Bevölkerung versperrt waren. Diese wurde dadurch stärker als unter den Nazis in das bürokratische Netz der Herrschaftsausübung verstrickt. Die stereotype, aus der Nachkriegszeit bekannte Beteuerung, daß *alle* Opfer waren, ist heute sogar glaub-

würdiger als damals, weil eben viele ins Räderwerk der politischen Macht eingespannt waren. Dieser ambivalente, am Fall Stolpe deutlich gewordene Charakter der poststalinistischen Verstrickungen, von denen wir im Westen nur schwache Vorstellungen haben, macht im übrigen die moralische Beurteilung der komplexen Einzelfälle um so schwieriger. Diese Vorgänge stellen an das Differenzierungs- und Einfühlungsvermögen erheblich höhere Anforderungen als die Nazi-Verbrechen, die wegen ihrer Ungeheuerlichkeit relativ einfach zu bewerten waren.

3. Auch im Hinblick auf ihre geistigen Grundlagen kann man Nazi- und DDR-Regime nicht in einen Topf werfen. Gewiß diente der Leninismus-Marxismus von Anbeginn der Legitimation einer menschenverachtenden Praxis. Aber selbst in dieser dogmatisch versteinerten und degenerierten Lesart der marxistischen Tradition steckte noch ein kritisches Potential, das von Dissidenten – bis hin zu den Bürgerrechtlern der DDR – immer wieder gegen die totalitäre Praxis selbst aufgeboten werden konnte. Die zweideutige und in sich brüchige Legitimationsgrundlage der DDR hat in jeder neuen Generation die trügerische Hoffnung auf eine Demokratisierung des lernunfähigen Systems geweckt und insofern die Kräfte der inneren Opposition zugleich gelähmt. Eine befriedigende Erklärung für den eigentümlichen Modus der Selbstabschaffung des bürokratischen Sozialismus und der Selbstentmachtung der Intelligenzia steht noch aus. Die heute von verschiedenen Dissidenten vertretene These, daß das System aus sich eine »Gegengesellschaft« erzeugt habe, würde für ein Potential der Selbstkritik noch im leninistisch verballhornten Marxismus sprechen. Dafür findet sich in der verquasten Nazi-Ideologie kein Gegenstück. Selbst Wolf Lepenies glaubt nicht daran, daß »die utopisch-humanitären Motive, die bei der Entstehung des Sozialismus im 19. Jahrhundert auch eine Rolle

spielten, mit dem Ende der pseudosozialistischen DDR und mit dem Untergang fast aller staatssozialistischen Regime endgültig überholt und auf immer abgetan« sind.

III.

Vor dem Hintergrund dieser Differenzen hält Jäckel die Neigung, die Entstasifizierung nach dem Muster der Entnazifizierung zu betreiben, mit Recht für »Unfug«. Die Ausgangssituationen von 1945 und 1989 haben nicht viel mehr miteinander gemeinsam als das glückliche Ende einer Diktatur. Das eine Ende wurde von außen durch eine militärische Niederlage besiegelt, das andere durch Gorbatschows Politik ermöglicht und von innen erzwungen. Nach 1945 wurde von den Siegern ein Militärtribunal eingerichtet, das die Nazigrößen wegen Kriegsverbrechen und Verbrechen gegen die Menschlichkeit aburteilte – hohe Funktionäre, leitende Beamte, Generäle, KZ-Ärzte und so weiter. Angesichts dieser Verbrechen konnte sich damals das Gericht auf internationales und übergesetzliches Recht stützen. Heute ist die innerstaatliche Rechtsordnung der Bundesrepublik kraft Einigungsvertrag auf das Gebiet der DDR schlicht ausgedehnt worden. Die Gerichte können aufgrund des Rückwirkungsverbots nur Straftaten verfolgen, die unter die seinerzeit gültigen DDR-Gesetze fallen (soweit diese nicht gegen rechtsstaatliche Prinzipien verstießen und inzwischen abgeschafft worden sind). Wie in Ungarn darf auch bei uns eine aus politischen Gründen unterlassene Strafverfolgung nicht umstandslos nachgeholt werden.

Anders als damals stehen heute keine spektakulären Fälle am Anfang der Strafverfolgung. Die Mauerschützenprozesse richteten sich gegen Grenzsoldaten; auch im Wahlfälschungsprozeß standen keine Hauptverantwortlichen vor

Gericht. Während nach 1945 die kleinen Parteimitglieder und Funktionäre von dem flächendeckenden Entnazifizierungsverfahren zwar erfaßt, aber als Mitläufer entlastet worden waren, entsteht heute der täuschende Eindruck, daß die Justiz die Kleinen hängt und die Großen laufen läßt.

Verschieden sind vor allem die politischen Milieus und die Stimmungslagen. Nach 1945 hielt die Nation in dem dumpfen Bewußtsein, daß sich Hitler auf eine breite Zustimmung hatte stützen können, gegen die »Siegerjustiz« zusammen, ohne sich über das Ausmaß der Verbrechen ernsthaft Rechenschaft abzulegen. Erst vor kurzem hat Ernst Klee die erschreckenden Details über jene Hilfe aufgedeckt, die damals selbst Bischöfe und Kardinäle den keineswegs reumütigen Schreibtischtätern und Massenmördern gewährt haben. Das steht im grellen Kontrast zu der großen Bereitschaft, heute mit der DDR-Vergangenheit konsequent abzurechnen. Die im Westen lebenden vier Fünftel der Bevölkerung sind durch eine spät genug in Gang gekommene Diskussion über die Nazi-Verbrechen für Themen der Vergangenheitsbewältigung ohnehin sensibilisiert, wobei sie sich diesmal nicht direkt betroffen zu fühlen brauchen. Im Osten des Landes sorgen die Opfer und Emigranten dafür, daß ihre Schicksale nicht in Vergessenheit geraten. Sogar in den Leitartikeln der *FAZ*, einer Zeitung also, die jahrzehntelang für die Diagnose einer »Unfähigkeit zu trauern« und die Forderung nach »Aufarbeitung der Vergangenheit« nichts als puren Hohn übrig hatte, spiegelt sich ein Konsens, den liberale Repräsentanten des Staates wie der Bundespräsident und die Bundestagspräsidentin glaubwürdiger zum Ausdruck bringen: »Am liebsten«, meint beispielsweise Fritz Ullrich Fack, der noch über »Bitburg« ganz anders geredet hatte, »würden viele wiederholen, was damals als probat galt, hernach aber zwei Generationen lang zu erbitterten Fragen, Anklagen und Prozessen führte: die Akten des Verbrechens unter endgültigen Verschluß nehmen und damit auch das leidige Kapitel ›Staatssicherheit‹ abschließen. Wer das für möglich hält, täuscht sich über die Realitäten.«

So besteht heute für das »Aufarbeiten« der zweiten deutschen Vergangenheit eine vergleichsweise günstige Ausgangslage. Das gilt für alle drei Ziele: für die Auswechslung der politisch belasteten Eliten, für die Herstellung politischer Gerechtigkeit und für den demokratischen Bewußtseinswandel der Bevölkerung. Während eine wirkungslose Entnazifizierung die fast ungebrochene personelle Kontinuität des Adenauerregimes mit der Nazizeit nicht hatte verhindern können, sorgen heute die vom Westen forcierten Abwicklungs- und Überprüfungsverfahren für einen Elitenwechsel in öffentlichen Bereichen wie Politik, Verwaltung, Justiz, Erziehungswesen, Universität und so weiter. Während es seinerzeit mehr als eineinhalb Jahrzehnte dauerte, bis sich die deutsche Justiz auch nur mit den handgreiflichsten KZ-Verbrechen befaßte, sind heute die Strafverfolgungsbehörden schnell aktiv geworden, obwohl die Tatbestände meist viel komplizierter sind. Auch für die zivilrechtlichen Ansprüche auf Rehabilitation, Entschädigung und Restitution sind schnell gesetzliche Grundlagen geschaffen worden. Die verbreiteten Klagen über den schleppenden Gang der Justiz beziehen sich auf die Kapazitätsmängel der Ermittlungsbehörden und auf eher rechtstechnisch begründete Verzögerungen. Aber der erklärte politische Wille zur justiziellen Bearbeitung des Unrechts, an dem es in der frühen Bundesrepublik fehlte, ist glaubwürdig. Im restaurativen Klima der fünfziger Jahre waren die antifaschistischen Stimmen liberaler Schriftsteller und Professoren (wie Jaspers und Kogon, die Gruppe 47) an den tiefsitzenden Dispositionen einer Mentalität, auf die sich schon das NS-Regime gestützt hatte, abgeprallt. Heute dringt eine emotional geführte Stasi-Diskussion, für die Biermanns expressive Selbstdarstellungen im *Spiegel* nicht untypisch sind, bis ins letzte Wohnzimmer.

Natürlich gibt es Bremsversuche und warnende Stimmen. Aber die Voraussetzungen für eine ethisch-politische Selbstverständigung sind günstiger als nach 1945. Unter diesen Umständen können freilich auch die problematischen Aspekte dieses ebenso unerläßlichen und wünschenswerten wie mühsamen Prozesses in Erscheinung treten. Weil heute, im Gegensatz zur Adenauerzeit, der juristische und der gesellschaftliche Prozeß zur Aufarbeitung im Prinzip von allen Seiten als notwendig anerkannt wird und faktisch in Gang gekommen ist, erhalten wir die Chance, aus falschen Tönen und schrillen Praktiken zu lernen, was dem Medium der öffentlichen Kommunikation zugemutet werden kann – und was nicht.

IV.

Das Ziel der *politischen Gerechtigkeit* muß in erster Linie mit Mitteln des Strafrechts und der zivilrechtlichen Wiedergutmachung erreicht werden. Nach dem Legalitätsprinzip muß die Strafjustiz ohne Ansehung der Person tätig werden; und sie kann das auch in erheblichem Umfang, weil der Wortlaut der DDR-Verfassung die wesentlichen Grundrechte garantiert und weil das in der DDR geltende Recht nicht nur Mord und Totschlag, Entführung, Erpressung und Nötigung, sondern eben auch Hausfriedensbruch, Verleumdung, Verletzung des Briefgeheimnisses, falsche Anschuldigung, Sachbeschädigung, sogar Wahlfälschung und die meisten anderen in Rechtsstaaten üblichen Straftatbestände geregelt hatte. Hinter den lauten Rufen, daß die Justiz nun endlich den hohen Funktionären an den Kragen gehen solle, verbirgt sich oft nur das Bedürfnis nach Entlastung und Rache. Friedrich Schorlemmer ist entsetzt über »die hier und da massiv zutage tretende Rachementalität, wobei wiederum vom Staat erwartet wird, daß er das tut, was der einzelne nicht tun will. Es gibt sehr viele anonyme Denunziationen und Erwartungen an andere, endlich ›reinen Tisch zu machen mit den roten Socken‹. Die nun am Boden liegenden Herren von gestern sollen heute kräftig getreten werden... Die Rachepose ist eine Variation vierzigjähriger Feigheit, der man sich nicht zu stellen wagt.«

Dem Recht sind, weil es die Zwangsmittel des Staatsapparats in Anspruch nimmt, freilich wohlumschriebene Grenzen gezogen. Die richterliche Entscheidungspraxis muß existentielle Fragen der persönlichen Lebensführung wie moralische Fragen der politischen Verantwortung ausklammern, auch wenn diese in den Bereich der politischen Gerechtigkeit hineinreichen. So bleiben Fragen offen, die jenseits der Strafjustiz im weichen Medium der öffentlichen Diskussion verhandelt werden müssen, ohne daß diese Kritik zum Schauprozeß oder zur Show-Veranstaltung degenerieren darf.

Die DDR-Bürgerrechtler um Schorlemmer, Thierse und Ullmann wollten zunächst so etwas wie »Tribunale« einrichten, »um da, wo die strafrechtliche Bewältigung ihre Grenzen hat, zumindest moralische Bewertungen zu ermöglichen«. Gemeint waren katharsische Gespräche zwischen Tätern und Opfern in Gegenwart unparteilich urteilender Experten. Aber im Verlauf der Suche nach »strengen Formen des Gesprächs über den elementaren Zusammenhang zwischen einem System und dem Verhalten der Menschen, die in ihren unterschiedlichen Rollen und Verantwortlichkeiten zum Funktionieren dieses Systems beigetragen haben«, sind wohl die Gefahren einer *Tribunalisierung* der

Aufarbeitungsdebatte deutlicher zu Bewußtsein gekommen. Die »öffentlichen Foren der Aufklärung«, die diese Gruppe jetzt landesweit initiieren will, sind inzwischen frei von Elementen des gerichtsförmigen Verfahrens und der staatlichen Autorisierung. Sie sind als entformalisierte Veranstaltungen konzipiert, die jenes durch die Rechtsmetapher nahegelegte Mißverständnis vermeiden, als könnten solche »Tribunale« etwas anderes sein als eine publizistische Strategie. Nichtjudizierbare Forderungen nach politischer Gerechtigkeit lassen sich – wie alle Beiträge zur ethisch-politischen Selbstverständigung – nur über den oft chaotisch verlaufenden Prozeß der öffentlichen Meinungs- und Willensbildung langfristig zur Geltung bringen. Sie dürfen nicht mit der Aura staatlicher Autorität bekleidet und auf dem Weg institutionalisierter Verfahren durchgesetzt werden. Auch Intellektuelle, die wie die Bürgerrechtler durch ihre politische Lebensgeschichte eine unbestrittene persönliche Autorität erworben haben, können (und wollen) für sich keinen privilegierten Zugang zur Wahrheit reklamieren. Sie sind Teil der politischen Öffentlichkeit – und nicht des rechtlich verfaßten politischen Betriebs.

Eine andere Gefahr für den massenmedial vermittelten öffentlichen Diskurs bildet die *Personalisierung*. Wenn man vor laufenden Kameras erfährt, wie Frau Wollenberger damit fertig wird, daß sie von ihrem Mann bespitzelt worden ist, sind der voyeuristische Einbruch in die private Sphäre und die Verwechslung von politischen mit existentiellen Fragen perfekt. Gewiß müssen sich Funktionäre, Schriftsteller oder Professoren, die an exponierten Stellen politische Verantwortung getragen oder publizistischen Einfluß ausgeübt haben, kritischen Fragen nach dem, was sie getan und gesagt haben, stellen. So war es von öffentlichem Interesse, ob Reichswortgewaltige wie Heidegger oder Carl Schmitt ihren politischen Irrtum – auf den nach Kogon jeder ein Recht hat – eingestanden oder ob sie hartnäckig nach Ausflüchten suchten.

Aber selbst in solchen Fällen ist der Einblick in eine Biographie nur insoweit öffentlich relevant, wie diese uns über ein repräsentatives Versagen unter typischen Umständen aufklären oder über Mechanismen der Unterdrückung belehren kann: So heute über die »Maßnahmepläne«, mit denen die Stasi die Widerstandskraft von Oppositionellen – wie im Falle von Wolfgang Templin – »zersetzen« wollte. In der Öffentlichkeit kann es nur um die strukturellen Aspekte eines gesellschaftlichen und geschichtlichen Kontextes gehen, in dem die moralischen Maßstäbe für politisch folgenreiches Verhalten zerstört worden sind – und um die Anerkennung der Opfer. In diesem Sinne möchten Schorlemmer, Ullmann und Thierse »die Maßstäbe von Recht und Unrecht« wiederherstellen: »Ohne eine Aufklärung der Motive oder Zwänge, die die Menschen dazu bewegten, das SED-System zu unterstützen, bleiben alle mit dem Makel des Versagens behaftet, werden unterschiedslos auch jene diskreditiert, denen heute noch Anerkennung gebührt.«

Nun berühren zwar Selbstverständigungsdiskurse immer wieder Fragen der politischen Gerechtigkeit; aber in erster Linie zielen sie auf einen *Mentalitätswandel* der Bevölkerung, aus dem eine liberale politische Kultur hervorgehen kann. Das muß der Fokus des gesellschaftlichen Prozesses der Aufarbeitung einer politisch belasteten Vergangenheit sein, in die auf diese oder jene Weise alle verstrickt waren. Fragen der politischen Gerechtigkeit treten dann zurück hinter der ethisch-politischen Grundfrage nach den prägenden Dispositionen und Überlieferungen einer Lebensform fehlgeschlagener Normalität. Unter *diesem* Aspekt wird eher die gemeinsame Pathologie zum Thema als die unter dem Gesichtspunkt politischer Gerechtigkeit notwendige Differenzierung zwischen Opfern und Tätern. Dieser Impuls wird in Fragen deutlich, die Rainer Eppelmann von der Enquetekommission des Bundestages geklärt sehen möchte: »Warum haben eigentlich Hunderttausende von DDR-Bürgern am 1. Mai oder am 7. Oktober, dem DDR-Gründungstag, auf der Straße bei Demonstrationen denen zugejubelt, die sie dreißig Jahre lang eingesperrt gehalten haben? Warum waren 98 Prozent der Schulanfänger bei den Jungen Pionieren, dem Verband der Staatspimpfe? Warum waren 85 Prozent oder 90 Prozent der Arbeitnehmer im FDGB, obwohl fast alle gewußt haben, mit Gewerkschaft hat der Verein nicht viel zu tun? Bloß deswegen, weil sie hofften, alle zwei Jahre eine verbilligte Reise machen zu können?« Solche Fragen fallen um so schwerer ins Gewicht, als das SED-Regime in der Bevölkerung sehr viel weniger spontane Unterstützung genossen hat als das NS-Regime. Dasselbe Ziel hatte Schorlemmer bei der Gründung des Leipziger »Forums für Aufarbeitung und Erneuerung« im Auge: »Uns geht es um die Aufarbeitung des ganz gewöhnlichen Lebens in der DDR, darum, daß sich Menschen zu 95 Prozent haben organisieren lassen und zu Zettelfaltern geworden sind.«

Dazu ist historisches Wissen nötig. Aber die Mühlen der Geschichtsforschung mahlen langsam. Weil die Selbstverständigungsdebatte auf deren Ergebnisse nicht warten kann und gleichwohl Informationen braucht, um hinreichend differenzieren zu können, soll die erwähnte Enquetekommission das bereits vorhandene Wissen über die diktatorischen Machtstrukturen, die offenen und verdeckten Mechanismen der Unterdrückung, die Formen des politischen Widerstandes, des Mitläufertums und der Apathie sammeln. Sie soll der Aufbereitung historischen Wissens für den öffentlichen Gebrauch dienen.

Im Augenblick ist es eine offene Frage, ob wir in Deutschland den Intentionen eines vielschichtigen Aufarbeitungsprozesses gerecht werden können. Die Massenmedien sind in Gefahr, Aggressionen zu entbinden oder zu verstärken, die sich gegen bloßgestellte und trotzig reagierende einzelne richten. Der legitime Gesichtspunkt, belastete Führungskader auszuwechseln, dient oft nur als Vorwand fürs Geschäft. *Super!* ist das abschreckende Beispiel. Die Aufarbeitung droht steckenzubleiben im Palaver der Show-Veranstaltungen oder in der Inszenierung von Schauprozessen, für die das böse Spektakel um Christa Wolf ein schlechtes Omen gewesen ist.

V.

In einer für die Aufarbeitung der zweiten Vergangenheit trotz allem günstigen Situation machen wir Fehler, die naheliegen. Die im grenzenlosen Medium der öffentlichen Kommunikation geführten Diskurse müssen sich selbst begrenzen, wenn sie nicht ihre spezifischen Fragestellungen und Themen aus dem Blick verlieren und damit ihre problemlösende Kraft einbüßen sollen. Es ist schwer, die rechte Balance zu halten zwischen Ab- und Aufwiegeln, erst recht angesichts der fatalen, durch die überstürzte Vereinigung unausweichlich gewordenen Asymmetrien zwischen Ost und West.

Abwiegler sind auf beiden Seiten am Werk. Viele der potentiell Betroffenen nebeln sich ein, wollen den bekannten Schlußstrich ziehen, vor dem schon Adorno 1959 gewarnt hatte. So fragt sich Wolfgang Thierse, »ob wir verurteilt sind, die bundesdeutsche Geschichte im Zeitraffer zu wiederholen«. Betroffen sind jedoch nicht nur die alten Seilschaften, die unfair Vorgeführten oder »Abgeschossenen«, nicht nur die cleveren Mitarbeiter der »Hauptverwaltung Aufklärung«, die Material beiseite schafften und nun die Dossiers meistbietend herumreichen. Von der Zeitbombe der Akten fühlen sich offenbar auch andere Komplizen bedroht: »Fest steht, daß Bonn in den Verhandlungen über den Einigungsvertrag ein auffälliges Interesse an einem möglichst restriktiven Zugang zu den MfS-Akten und an deren rascher Vernichtung zeigte« *(Neue Zürcher Zeitung)*. Im Westen gehören auch manche aufrichtigen, manche störrischen Linken zu den Abwieglern, sei es aus erwägenswerten moralischen Gründen oder um peinliche Techtelmechtel von einst zu vertuschen. Die erste Sitzung der Geschichtskommission des Verbandes Deutscher Schriftsteller hat jedenfalls bei anwesenden Journalisten diesen Verdacht geweckt. Unabhängig von solchen oder anderen Motiven bezieht die Position der Abwiegler ihre Stärke aber weniger aus moralischen Gründen. Sie kann sich auf jene funktionalistischen Überlegungen stützen, die Kritiker der »Vergangenheitsbewältigung« immer schon zur Hand hatten.

Kurt Biedenkopf spricht in Dresden nur aus, was die Pragmatiker in Bonn denken: wie damals, so brauche man auch heute die alten Funktionseliten aus Wirtschaft und Verwaltung für den Neuaufbau – beispielsweise die »Blockflöten«, deren Organisationsnetz die West-CDU ja schon für die ersten freien Volkskammerwahlen bedenkenlos in Betrieb genommen hatte. Aus dieser Sicht gefährdet der Problematisierungssog einer Aufarbeitung der Geschichte ökonomische Leistungsbereitschaft und Effizienz, inneren Frieden und Stabilität. Die pragmatischen Abwiegler neigen daher zu einer eher restriktiven Strafverfolgung und betrachten mit Sorge die Ausbreitung und thematische Ausweitung der Stasi-Diskussion: »Entmoralisierung« ist das aus bundesdeutschen Abwehrkämpfen bekannte Stichwort.

Diese Interpretation, die die normativen Ziele der politischen Gerechtigkeit und eines bewußt herbeigeführten Mentalitätswandels in Gegensatz bringt zu den Funktionsimperativen von wirtschaftlicher Entwicklung und sozialer Stabilität, ist erstaunlich kurzsichtig. Im Rückblick auf eine verklärte Nachkriegsperiode verkennt sie vor allem zwei Fakten. Zum einen den Ausnahmecharakter der günstigen Konstellationen, in denen sich damals die kontinuierliche und breit streuende Verbesserung der Lebenslagen in das »Systemvertrauen« einer von Krisen verschonten Bevölkerung umsetzen konnte; zum anderen die seit den sechziger Jahren wirksam werdenden intellektuellen Spannungen und Konflikte, über die sich das Systemvertrauen erst mit dem Abstand von einer Generation in eine politisch-kulturell verankerte liberale Mentalität verwandeln konnte. Kurzum, die funktionalistischen Argumente greifen zu kurz, weil ohne einen weitreichenden Wandel der normativen Einstellungen und ohne die Eingewöhnung einer Kultur des Widerspruchs auch die nach vierzig Jahren gerühmte »Erfolgsgeschichte« der Bundesrepublik nicht möglich gewesen wäre.

Auf die Defensive der Abwiegler reagieren andere, die gewiß nicht alle, selbst wenn sie zuweilen überreagieren, in den Topf von »Aufwieglern« geworfen werden dürfen. Denn ohne das Engagement der Bürgerrechtler, die in der ersten Stunde die Stasi-Akten in Besitz genommen und vor der Vernichtung bewahrt haben, ohne den mühsam zustande gebrachten Volkskammerbeschluß der letzten Stunde und das zähe Ringen im Bundestag um das Akten-Unterlagen-Gesetz, ohne die Tribunal-Idee, ohne die Dynamik der Enthüllungen, die überhaupt von emigrierten Schriftstellern und prominenten Opfern in Gang gesetzt worden ist, wäre die Chance einer offenen Kontroverse wohl kaum genutzt, die DDR-Vergangenheit unter den Teppich der bundesrepublikanischen Siegergeschichte gekehrt worden. Manche, die tief verletzt und oft in ihrem Lebensnerv getroffen worden sind, wollen Genugtuung –

und verdienen sie. Sie zu Aufwieglern zu stempeln wäre schamlos. Gegen Law and Order aufzuschreien, wenn zuvor Recht und Ordnung derart korrumpiert worden sind, ist selbst dann ein Verdienst, wenn sehr persönliche Motive einfließen mögen – und wenn gelegentlich der Eindruck entsteht, als gelte die Anklage eher einer *verhinderten* Märtyrerrolle oder als zehre sie von der Wut über die nachrevolutionäre Ohnmacht derer, die die Wende in vorderster Linie herbeigeführt haben.

Etwas anderes ist jedoch die unheilige Allianz, die die verletzte Subjektivität der Opfer mit der Ranküne der alten Kämpfer eingeht. In den wendigen Feuilletons des Westens fließt schon aus gleichsam technischen Gründen so manches wie zufällig zusammen, weil die ehemalige DDR nicht die Zeit hatte, ihre eigene Öffentlichkeit, mit eigener Infrastruktur und eigenen Diskursen, zu entwickeln. So zappeln die Ost-Intellektuellen oft an den Drähten der West-Journalisten und geraten mit ihren Beiträgen ungewollt zwischen erstarrte Fronten, in deren Verlauf sich noch die politischen und intellektuellen Grabenkämpfe der sechziger und siebziger Jahre widerspiegeln. Am Fall Stolpe nehmen die kalten Krieger ihre verlorene Schlacht um die Ostpolitik wieder auf; im Bundestag wird die Vergangenheit parteipolitisch bewältigt; und im Feuilleton lassen an der Ostberliner Akademie unsere dienstleistenden Intellektuellen noch einmal alle Affekte aus, die eigentlich Grass oder Jens und den seit langem bekämpften Prämissen ihrer uneingeschüchterten Intransigenz gelten. Dieser Typus von Scharfmacherei instrumentalisiert die fällige Aufarbeitung der Vergangenheit für anderes als politische Gerechtigkeit und selbstkritischen Bewußtseinswandel; er entfacht das Potential an gegenseitiger Verletzung, das Selbstverständigungsdebatten stets innewohnt. Denn Tribunalisierung und Personalisierung entgrenzen diese Art von Diskursen, die zwar moralische, rechtliche und existentielle Fragen *berühren*, die sich aber nicht durch deren Logik, also die Logik der Zurechnung von persönlicher Schuld, und der Bewertung einer individuellen Lebensführung bestimmen lassen dürfen.

VI.

Eine Schwierigkeit kommt hinzu. Die erweiterte Bundesrepublik ist der falsche Rahmen für eine ethisch-politische Selbstverständigung, die aus intern zwingenden Gründen, unter symmetrischen Bedingungen und aus einer gemeinsamen Wir-Perspektive geführt werden müßte. Aber vorerst gibt es zwei ungleiche Parteien, von denen eine die andere in mehr als einer Hinsicht »evaluiert«. Die scheinbar großherzige, aber vorschnelle rhetorische Einebnung jener Differenzen, die zwischen den Erfahrungszusammenhängen in Ost und West noch lange bestehen werden, führt nur zu falschen Symmetrien. Gewiß, die bestehenden Asymmetrien verführen auch zu einer falschen Affirmation der Unterschiede: »Die Westdeutschen begegnen uns zuweilen«, klagt Schorlemmer mit Recht, »sowohl als die Schatzmeister wie auch als die Richtmeister. Wir Ostdeutschen haben immer weniger zu sagen. Kaum jemand *redet* noch. Zu Dümmlingen und Fremdlingen werden wir wiederum im eigenen Land gemacht.« Die Westdeutschen übernehmen nur zu gerne die Supervision über den Selbstverständigungsprozeß ihrer Brüder und Schwestern. Aber dem kann man nicht – wie jüngst bei der Einsetzung der Enquetekommission im Bundestag – mit einem Appell an falsche Gemeinsamkeiten begegnen. Der Aufarbeitungsprozeß läßt sich nicht bruchlos als ein *gesamtdeutsches* Unternehmen definieren...

Im Klima eines erstarkenden nationalen Selbstbewußtseins und der Beschwörung einer neuen deutschen Normalität, im Klima einer geschichtsvergessenen, großmäuligen Kroatienpolitik, der Abkehr von Europa und der geradezu hysterischen Verteidigung unseres nationalen Symbols, der »DM«, gegen die Überfremdung durch den welschen »Ecu« – in einem solchen Klima legt der Appell an die Schicksalsgemeinschaft der Deutschen die verheerende Konsequenz nahe, wir sollten nun wieder zu jenen geistigen Kontinuitäten zurückkehren, gegen die wir uns doch in der Bundesrepublik, mühsam genug und zum ersten Mal in der jüngeren deutschen Geschichte mit Erfolg, zur Wehr gesetzt hatten.

Der Gewinn dieser reinigenden Selbstreflexion würde wieder verspielt, wenn wir zu jener teutonischen Mischung aus dumpfen und tiefen Gedanken zurückkehrten, die einem Heidegger einmal als das »Eigenste« gegolten hatte.

Der Appell an falsche Gemeinsamkeiten hat nicht nur diese regressive Seite. Auch vorwärts gewendet verdeckt er eine Asymmetrie, die einen nicht im eigenen Haus geführten Selbstverständigungsdiskurs erheblich belasten muß. Durch die Selbstauflösung der DDR ist die Achse der politischen Entscheidungsprozesse auf ein größeres Gemeinwesen verschoben worden, in dem die an der Aufarbeitung der zweiten Vergangenheit direkt Beteiligten und von ihr Betroffenen eine relativ schwache Minderheit bilden. Ohne eine Rückkoppelung des Mentalitätswandels mit politischen Entscheidungen, die man *sich selbst* zuschreiben kann, fehlen aber wichtige Erfolgskontrollen für eine gelingende kollektive Selbstverständigung.

Wir müssen uns eingestehen: Die verfassungsrechtlich hergestellte Einheit bedeutet für beide Seiten den Entschluß zu einer gemeinsamen Zukunft und zur wechselseitigen Verständigung über zwei verschiedene Nachkriegsgeschichten – vor dem Hintergrund der gemeinsamen, alles überschattenden Naziepoche. Die durch das stalinistische Erbe der DDR notwendig gewordene Aufarbeitung einer *doppelten* Vergangenheit ist vorerst nur aus einer doppelten Perspektive möglich. Freilich hat Wolfgang Thierse recht: Die Art und Weise, wie sich die Ostdeutschen ihrer Geschichte stellen, wird darüber entscheiden, ob auch die Westdeutschen einen Schritt weiterkommen »in der eigenen Geschichtsverarbeitung«.

Ein Ausgangspunkt für diese Diskussion ist beispielsweise die Überlegung, die Gerd Heidenreich, der Präsident des westdeutschen PEN-Zentrums, in einem Interview geäußert hat: »Die Grundfrage lautet doch eigentlich, was waren die Bedingungen, die Anlässe und die Gründe dafür, daß sich die Blockwart-Mentalität der Nazis bruchlos fortgesetzt hat in einem Teil Deutschlands. Und wenn wir ehrlich sind, müssen wir voraussetzen, daß sie sich auch hier, im Westen, fortgesetzt hätte, wenn sie denn ermuntert, mit Vorteilen versehen worden wäre. Die Stasi-Abrechnung entbindet ja nicht von der Frage: Was sind die gemeinsamen Grundlagen der deutschen Staaten, die historischen Voraussetzungen für einen Staat, der keine Widersprüche in sich duldet.« Selbst dieser Satz mag in einem gereizten Klima noch mißverstanden werden. Es ist wohl kaum die These eines Abwieglers, der die Macht der Umstände beschwört, um retrospektiv die Mitläufer »beider Diktaturen« in einem Aufwasch zu exkulpieren.

Antworten auf Fragen einer
Enquete-Kommission des Bundestags

In den beiden vorangehenden Anhörungen ging es um die Interpretation von Tatsachen. Die abschließende Diskussion steht unter einer Fragestellung anderer Art: Wie *sollen* wir mit den Ergebnissen der Enquete-Kommission umgehen, wenn wir eine politische Kultur fördern wollen, die den demokratischen Verfassungsstaat stabilisiert? Schon wegen des normativen Charakters dieser Frage übernehme ich nicht die Rolle eines wissenschaftlichen Experten, sondern verstehe mich als Intellektueller, der sich an einer öffentlichen Diskussion beteiligt. Die Kommission tritt nämlich mit dieser letzten Anhörung selber bereits in jenen öffentlichen Prozeß der »Aufarbeitung der Geschichte der beiden deutschen Diktaturen« ein, den wir zugleich zum Thema machen. Die Frage nach der Bedeutung dieses Prozesses für den Bestand der Demokratie haben Sie in vier Unterfragen gegliedert, auf die ich der Reihe nach eingehen möchte.

1. Welcher Stellenwert kommt der Aufarbeitung für die Stabilität der demokratischen Ordnung und ihrer gesellschaftlichen Werte zu?

Der Ausdruck »Aufarbeitung der Vergangenheit« entstammt dem Titel eines Aufsatzes aus dem Jahre 1959; darin hatte sich Adorno für eine öffentliche Thematisierung der NS-Zeit eingesetzt. Seitdem begleitet uns die Kontroverse um Nutzen und Nachteil eines reflexiven Umgangs mit dieser Vergangenheit, auch mit deren schwärzesten Aspekten. Die Gegenseite fürchtet die destabilisierende Wirkung einer solchen Geschichtspädagogik; die Dauerreflexion, so heißt es, verunsichert die Traditionen, aus denen sich das politische Selbstverständnis einer Nation speisen müsse. Anstelle einer Bewußtmachung verstörender verlangt man die Mobilisierung zustimmungsfähiger Vergangenheiten. Eine ähnliche Kontroverse hat sich nach 1989 an der Frage der Veröffentlichung von Stasi-Akten entzündet. Ich halte diese Gegenüberstellung von Destabilisierung oder Schlußstrich, von kommunikativem Beschweigen oder selbstzerstörerischer Moralisierung für eine falsch gestellte Alternative, und zwar aus den folgenden Gründen:

(a) Zunächst bezweifle ich, daß überhaupt eine Option besteht zwischen Zudecken und Selbstkritik; die Abwehr peinlicher Erlebnisse funktioniert nicht mit Willen und Bewußtsein. Gewiß, eine Amnestie oder die Geheimhaltung von Unterlagen lassen sich *beschließen*, aber eine Verdrängung dissonanter Erinnerungen, selbst wenn sie funktional wäre, läßt sich nicht *arrangieren*. Zudem dient die Ausblendung retrospektiv entwerteter Überzeugungen und Verhaltensweisen nicht einmal der Stabilisierung von Selbstbildern; denn mißliche Wahrheiten sind schwer zu kontrollieren, sie können jederzeit den Schleier eines illusionären oder auch nur unbehaglich-schiefen Selbstverständnisses zerstören. Dafür bietet übrigens die Geschichte der Bundesrepublik ein Beispiel. Unter den günstigen Konstellationen der ersten Nachkriegsperiode hatte sich in einer von Krisen verschonten Bevölkerung zwar so etwas wie ein ökonomisch und sozial begründetes »Systemvertrauen« herausgebildet; aber erst über die in den sechziger Jahren eingeklagte normative Auseinandersetzung mit der NS-Vergangenheit hat sich dieses Systemvertrauen in eine Verfassungsloyalität verwandelt, die in den Überzeugungen einer liberalen politischen Kultur verankert ist.

(b) Irreführend ist weiterhin die Suggestion, als könnte

sich die politische Ordnung eines *modernen* Gemeinwesens überhaupt auf einen naturwüchsig eingespielten, also fraglosen Hintergrundkonsens stützen. Was die Bürger einer durch gesellschaftlichen, kulturellen und weltanschaulichen Pluralismus bestimmten Gesellschaft einigt, sind zunächst nur die abstrakten Grundsätze und Verfahren einer künstlichen, nämlich im Medium des Rechts erzeugten republikanischen Ordnung. Diese Verfassungsprinzipien können in den Motiven der Bürger erst Wurzeln schlagen, nachdem die Bevölkerung mit ihren demokratischen Institutionen gute Erfahrungen gemacht und sich an Verhältnisse politischer Freiheit *gewöhnt* hat. Dabei lernt sie auch, die Republik und deren Verfassung aus dem jeweils eigenen nationalen Zusammenhang als eine Errungenschaft zu begreifen. Ohne eine solche historische Vergegenwärtigung können verfassungspatriotische Bindungen nicht entstehen. Diese sind beispielsweise für uns mit dem Stolz auf eine erfolgreiche Bürgerrechtsbewegung verbunden, aber auch mit den Daten 1848 und 1871, mit dem Grauen von zwei Weltkriegen, der Bitterkeit von zwei Diktaturen und dem Entsetzen über eine Menschheitskatastrophe – mit unerhörten Opfern also, denen kein Sinn außer dem einer Abschaffung jeder Art von staatlich angesonnenem sacrificium abzugewinnen ist.

(c) Entgegen einem verbreiteten Mißverständnis ist schließlich festzuhalten, daß sich in der Forderung nach Aufarbeitung dieser Vergangenheit kein blindes Vertrauen in die Dynamik des Bewußtmachens ausspricht. Darin spiegelt sich vielmehr die Einsicht, daß wir nur aus einer Geschichte lernen können, die wir als *kritische* Instanz betrachten. Die Geschichte als »Lehrmeisterin« ist ein alter Topos; aber in seinen affirmativen Lesarten führt er in die Irre – wenigstens das könnten wir aus dem vielfach falschen Gebrauch der Historie gelernt haben.

Die Alten hatten sich, mit ihrem anthropologischen Blick auf die Geschichte, für das Wiederkehrende im stets Veränderlichen interessiert; für sie war die Geschichte so etwas wie eine Schatzkammer exemplarischer und nachahmenswerter Begebenheiten. Aber auch die Modernen, die sich mit ihrem historisch geschärften Bewußtsein eher fürs Besondere und Einmalige interessierten, wollten noch etwas Positives aus der Geschichte lernen. Die Geschichtsphilosophen fahndeten nach der Vernunft in der Geschichte, die Historisten wollten im Spiegel des Anderen das Eigene erkennen, die Hermeneutiker beschworen die Macht der klassischen Vorbilder. Inzwischen sind wir gegenüber der Prämisse, die alle drei Versionen verbindet, skeptisch geworden: daß wir aus der Geschichte nur dann etwas lernen, wenn diese uns etwas Affirmatives, der Nachahmung Wertes zu sagen hat. Diese Prämisse ist wenig überzeugend, denn auch sonst lernen wir ja eher aus negativen Erfahrungen, eben aus Enttäuschungen, die wir in Zukunft zu vermeiden suchen. Das gilt für die kollektiven Schicksale der Völker nicht weniger als für die individuellen Lebensgeschichten. Historisch lernen wir bestenfalls aus dem Dementi von geschichtlichen Begebenheiten, die uns vor Augen führen, daß Traditionen versagen, daß wir mit unseren bis dahin handlungsleitenden Überzeugungen an den Problemen, die gelöst werden müssen, scheitern. Viele Daten der jüngeren deutschen Geschichte, nicht nur das Jahr 1945, hatten eine solche dementierende Kraft.

2. Was bedeutet das Erbe zweier Diktaturen für die heutige und die künftige deutsche Kultur?

Die Bundesrepublik hat nicht nur im völkerrechtlichen Sinne die Nachfolge des Deutschen Reichs angetreten, sie hat auch die politische Haftung für die Folgen des »Dritten

Reichs« übernommen. Mit dem Beitritt der Länder der ehemaligen DDR zur Bundesrepublik hat sich nichts an der Rechtsnachfolge geändert, aber einiges an den politisch-historischen Erbschaftsverhältnissen. Die Last der NS-Vergangenheit wird durch das Erbe einer kurzen stalinistischen und einer längeren autoritär-nachstalinistischen Vergangenheit überlagert.

Diese Aufeinanderfolge von zwei Diktaturen kann einer lehrreichen optischen Verstärkung der totalitären Gemeinsamkeiten dienen und den Blick auf die strukturellen Enteignungen von Bürgern richten, die ihrer sozialen und rechtlichen Autonomie beraubt worden sind. Wenn ich die Liste der Themen mustere, zu denen die Enquete-Kommission Expertisen eingeholt hat – die Verquickung von Partei- und Staatsapparat; die flächendeckende Organisation der Staatssicherheit; Justiz und Strafvollzug; die Militarisierung der Gesellschaft; die Methoden der Zwangskollektivierung; die Rolle von Blockparteien und Massenorganisationen; die Medien als Herrschaftsinstrument; die Umgestaltung des Bildungssystems; die in den Alltag eingreifende psychosoziale Repression usw. –, entsteht das Bild eines panoptischen Staates, der nicht nur unmittelbar eine bürokratisch ausgetrocknete Öffentlichkeit, sondern auch deren Basis, die Bürgergesellschaft und die Privatsphäre, untergraben hat. Wenn man dieses Bild als Negativ betrachtet, entsteht das Gegenbild einer Rechtsordnung, die allen Bürgern die gleiche private und öffentliche Autonomie gewährleistet, die die Verquickung der Gewalten abschafft, auch gegen staatliches Unrecht Blockaden errichtet.

Unter der grellen Beleuchtung dieser zweiten Vergangenheit darf freilich die Erinnerung an die erste nicht verblassen. Die NS-Periode ist auf unverkennbare Weise gezeichnet durch die staatlich angekündigte, bürokratisch durchgeführte Aussonderung und die umfassende, mit industriellen

Mitteln ins Werk gesetzte Vernichtung eines nach askriptiven Merkmalen definierten inneren Feindes. Dieses ungeheuerliche Faktum bringt uns den normativen Kern des demokratischen Rechtsstaates zu Bewußtsein – symmetrische Anerkennungsverhältnisse, die jedem gleichen Respekt sichern. Diese gegenseitige Anerkennung darf sich nicht, wie Carl Schmitt meinte und seine Schüler (zuletzt in der *FAZ* vom 22. April 1994) immer noch behaupten, auf die Angehörigen eines homogenen, sich gegen äußere und innere Feinde behauptenden Volkes beschränken; sie erstreckt sich nicht auf eine Nation von Volksgenossen, die durch ethnische Herkunft, sondern auf eine Nation von Staatsbürgern, die durch gleiche Rechte miteinander verbunden sind. Für die Bürger der Bundesrepublik besteht deshalb die ausschlaggebende Lehre von 1989/90 nicht in der Wiederherstellung eines Nationalstaats, auch nicht im Beitritt der Landsleute zur Privatrechtsordnung einer prosperierenden Gesellschaft, sondern in der Erringung von Bürgerrechten und der Beseitigung eines totalitären Regimes.

3. Wie können die Kenntnis über die beiden deutschen Diktaturen in der politischen Bildung vermittelt und das Bewußtsein der Gefährdung freiheitlicher Demokratien wachgehalten werden?

Die »doppelte Vergangenheit« stellt ungewöhnlich hohe Anforderungen an Augenmaß und Differenzierungsvermögen, an Urteilskraft, Toleranz und Selbstkritik. Lassen Sie mich an vier Schwierigkeiten erinnern.

(a) Der Vergleich zwischen beiden Diktaturen verlangt von den Historikern, die uns über deren Unterschiede und Ähnlichkeiten belehren, aber auch von uns selbst, den Bürgern, die Bereitschaft zur Distanzierung von eigenen politischen Vormeinungen. Beide Regime haben sich nämlich für ihre Legitimationsbedürfnisse aus Ideenhaushalten bedient, die einerseits ins 19. Jahrhundert zurückreichen, aber andererseits auch noch die Gegenwart beherrschen. Das Links-Rechts-Schema, das man nicht voreilig verabschieden sollte, macht sich gerade beim Vergleich der beiden Diktaturen auf störende Weise bemerkbar. Wo die »Rechten« zu Angleichungen neigen, wollen die »Linken« vor allem Unterschiede sehen. Die Linken dürfen sich über die spezifischen Gemeinsamkeiten totalitärer Regime nicht hinwegtäuschen und müssen auf beiden Seiten denselben Maßstab anlegen; die Rechten dürfen wiederum Unterschiede nicht nivellieren oder herunterspielen. Dabei denke ich nicht nur an Unterschiede, die sich aus dem konträren Gehalt der Ideologie, aus der ganz anderen Art der politischen Kriminalität, aus der unterschiedlichen Lebensdauer der Regime und dem entsprechenden Grad der Normalisierung alltäglicher Lebensverhältnisse ergeben; ich denke auch daran, daß die Nachgeborenen für den im eigenen Land entstandenen und von breiter Zustimmung getragenen Nationalsozialismus auf andere Weise haften als für einen autoritären Sozialismus, der von Siegern importiert worden ist und von der Bevölkerung eher hingenommen wurde.

Heute kann sich zum ersten Mal ein antitotalitärer Konsens bilden, der diesen Namen verdient, weil er nicht selektiv ist. Dieser sollte eine gemeinsame Basis sein, auf der sich dann erst linke und rechte Positionen voneinander differenzieren. Das mag jüngeren und nachwachsenden Generationen leichter fallen als uns Älteren. Erst wenn sich die politische Sozialisation nicht unter dem polarisierenden Generalverdacht gegen innere Feinde vollzieht, können liberale Haltung und demokratische Gesinnung der Geburtshilfe durch Antikommunismus oder Antifaschismus entbehren.

(b) Eine zweite Schwierigkeit hängt mit einem anderen

Aspekt der »doppelten Vergangenheit« zusammen. Die aktuelle Aufarbeitung der DDR-Geschichte findet vor dem Hintergrund einer inzwischen selbst historisch gewordenen Entnazifizierung statt. Die ganz verschiedenen Ausgangssituationen von 1945 und 1989 verbieten es einerseits, die Entstasifizierung nach dem Muster der Entnazifizierung zu betreiben; Eberhard Jaeckel erkärt das mit Recht für »Unfug«. Andererseits haben sich inzwischen die Maßstäbe der Kritik gewandelt. Weil eine bis in die Mentalitätsbildung hineinreichende Auseinandersetzung mit der NS-Periode im Osten Deutschlands nur oberflächlich, im Westen erst mit erheblicher Verzögerung stattgefunden hat, besteht heute die Bereitschaft, mit größerer Energie nachzuholen, was nach 1945 versäumt worden ist. Die erst nach und nach begriffene Bedeutung der nationalsozialistischen Massenverbrechen hat dazu beigetragen, den Benjaminschen Blick von Unterlegenen auf die barbarische Rückseite einer Geschichte von Siegern zu schärfen. (Das gilt übrigens nicht nur für uns. Eine gewachsene Sensibilität für die überwältigten Opfer hat auch in anderen Ländern böse Erinnerungen wachgerufen – Erinnerungen an die Zerschlagung der indianischen Eingeborenenkulturen, an den blutig niedergeschlagenen Aufstand in der Vendée, an den armenischen Genozid, an die Enteignung und Vernichtung der Kulaken usw.). Wir befinden uns in einem Dilemma: Wenn wir heute in der guten Absicht, Fehler einer problematischen »Vergangenheitsbewältigung« wettzumachen, andere Maßstäbe anlegen als seinerzeit, verstoßen wir, im historischen Vergleich, gegen den Grundsatz der Gleichbehandlung. Diese paradoxe Form einer nicht ganz unbegründeten Unfairneß zeigt sich vor allem an den persönlichen Härten eines im Prinzip wünschenswerten, vergleichsweise jedoch rigoroser durchgeführten Elitenwechsels (z. B. im Bereich der Universitäten).

(c) Eine dritte Schwierigkeit ergibt sich aus der asymmetrischen Verteilung der Erblasten. Die Deutschen in Ost und West teilen nur die erste Vergangenheit. An der Geschichte der DDR sind sie auf verschiedene Weise beteiligt; die einen sind darin als Täter und Opfer mit Haut und Haaren verstrickt, die anderen haben allenfalls von außen, ob nun über »innerdeutsche« oder über »zwischenstaatliche« Beziehungen, auf Verhältnisse und Entwicklungen in der DDR eingewirkt. Natürlich ist die Deutschlandpolitik der Bundesregierungen, ist die Reaktion der westdeutschen Bevölkerung auf die nationale Teilung und das Schicksal ihrer ostdeutschen Landsleute, sind die Kontakte und Nicht-Kontakte zwischen hüben und drüben, die Rolle der Medien und der Intellektuellen usw. von hohem Interesse für die Aufarbeitung der Interdependenzen der beiden Nachkriegsgeschichten. Aber diese getrennten Geschichten waren eben auch konstitutiv für verschiedene Erfahrungszusammenhänge. Eine vorschnelle Einebnung dieser Differenzen verleitet nur zu rückwärtsgewandten Appellen an die falschen Kontinuitäten längst fragwürdig gewordener Traditionsbestände. Wenn wir nicht zum deutschen Mief zurückwollen, müssen wir verhindern, daß die sehr allmähliche Zivilisierung der alten Bundesrepublik hinter künstlich konstruierten Symmetrien zwischen zwei angeblich gleichermaßen abhängigen und ihrer Souveränität beraubten Teilstaaten verschwindet.

Nur wenn wir uns die asymmetrischen Erbschaftsverhältnisse in Ost und West eingestehen, wenn wir den Aufarbeitungsprozeß nicht als ein *bruchlos* gesamtdeutsches Unternehmen definieren, machen wir uns keine Illusionen über die Hindernisse, die auf diesem Wege zu überwinden sind. Die Bevölkerung der ehemaligen DDR verfügt nicht mehr über eine eigene, von den Westmedien entkoppelte politische Öffentlichkeit, sie kann den Selbstverständigungsdiskurs über ihre zweite Vergangenheit nicht im eigenen Hause führen. Das verlangt eine besondere Zurückhaltung von uns aus dem Westen, die wir den spezifischen Verstrickungen des Staatssozialismus ganz ohne eigenes Verdienst entgangen sind.

(d) Bis jetzt war die Rede von Differenzierungen beim Vergleich der beiden Diktaturen, der beiden Aufarbeitungsprozesse und der beiden Nachkriegsgeschichten. Differenzieren müssen wir aber auch zwischen den normativen Gesichtspunkten, unter denen die vergangenen Episoden beurteilt werden. Ein Unrechtsregime hinterläßt einerseits das Bedürfnis nach Genugtuung, nach *Herstellung politischer Gerechtigkeit*, soweit das möglich ist, andererseits den Wunsch nach einem *Mentalitätswandel der Bevölkerung*, der demokratische Verhältnisse herbeiführt und stabilisiert. Das von der Enquete-Kommission aufbereitete Material dient beiden Zwecken, wobei das Ziel des demokratischen Bewußtseinswandels im Vordergrund stehen sollte.

Gerechtigkeitsfragen können juristischer oder moralischer Natur sein. Sie beziehen sich auf die Wiedergutmachung begangenen Unrechts und auf individuell zurechenbare Schuld. Juristische Klagen und moralische Vorwürfe erhebt eine Partei gegen die andere; sie sind Ausdruck der Entzweiung zwischen Tätern und Opfern. Der dadurch angestrengte Prozeß selber zielt freilich insofern auf Versöhnung ab, als die intersubjektive Anerkennung der im Lichte gültiger Normen gefällten Urteile eine verletzte Ordnung wiederherstellen soll. Dieses Ziel politischer Gerechtigkeit wird hauptsächlich mit Mitteln des Strafrechts und der zivilrechtlichen Entschädigung erreicht. Da aber dem Zwangsrecht aus guten Gründen enge Grenzen gezogen sind, entziehen sich ihm viele politisch-moralisch zu verantwortende Tatbestände. Diese bleiben dann politischen Verfahren (wie dem Stolpe-Ausschuß) oder informellen öffentlichen Diskussionen vorbehalten (z. B. dem Streit von Bürgerrechtlern oder exilierten Schriftstellern mit den Repräsentanten und Zuträgern des alten Regimes). Einen anderen Charakter haben die von Angehörigen eines Kollektivs gemeinsam erörterten Fragen der ethisch-politischen Selbstverständigung über wichtige Aspekte der von allen geteilten Lebensform. Anders als Gerechtigkeitsfragen, die von einem unparteilichen Dritten entschieden werden, verlangen Fragen, die die kollektive Identität berühren, Antworten aus der Wir-Perspektive der ersten Person Plural. Aus dieser Sicht kommen auch die Pathologien eines gemeinsamen Lebens, die prägenden Dispositionen einer fehlgeschlagenen Normalität des Alltags zur Sprache – nicht die individuell zurechenbaren Handlungen, die unter dem Gesichtspunkt politischer Gerechtigkeit Belastete und Unbelastete voneinander trennen. Die Aufarbeitung einer politisch belastenden Vergangenheit, für die alle Beteiligten, sogar die Oppositionellen haften, hat ihren Schwerpunkt in solchen bewußtseinsverändernden Prozessen der Selbstverständigung. Diese können stimuliert, aber nicht organisiert werden.

Nach dem Abschluß ihrer Arbeit sollte die Kommission über eine Gefahr nachdenken, die der politischen Kultur der erweiterten Bundesrepublik aus den unbeabsichtigten Folgen eines unglücklichen Modus der staatlichen Einigung entstanden ist. Während seinerzeit wenigstens der wie auch immer selektiv beschriebene Widerstand des 20. Juli in die Gründungsidee der Bundesrepublik aufgenommen worden ist, entgleitet heute die historische Leistung der Bürgerrechtsbewegung dem nationalen Gedächtnis. Diese hätte in einer republikanischen Neugründung eine angemessene symbolische Repräsentanz finden können. Weil schon die Verfassungsdiskussion ängstlich abgewehrt wurde, ist der Ruf »Wir sind das Volk« ohne anhaltendes Echo geblieben.

Auch deshalb wenden sich inzwischen jene ostdeutschen Landsleute, die sich von einem vielfach entwürdigenden Vereinigungsprozeß verletzt fühlen, nach rückwärts – und klammern sich an alte Identitäten, statt aus dem eigenen Beitrag zur Demokratie Selbstbewußtsein zu schöpfen.

4. Welchen institutionellen Rahmen sollte die weitere historisch-politische Aufarbeitung erhalten?

Die Mühlen der Wissenschaft mahlen langsam. Selbstverständigungsdebatten erwachsen aus anderen Antrieben und gehorchen anderen zeitlichen Rhythmen als die Forschung; sie können auf deren Resultate nicht warten und sind gleichwohl auf zuverlässig informierende und klärende Beiträge angewiesen, wenn die Komplexität der Themen nicht im entdifferenzierenden Sog der Massenkommunikation untergehen soll. Deshalb war die Einsetzung einer Kommission, die das vorhandene Expertenwissen sammelt, sichtet und für die politische Öffentlichkeit aufbereitet, vernünftig. Ob diese Arbeit, die das diskursive Niveau von ohnehin geführten Auseinandersetzungen fördern könnte, in einem anderen institutionellen Rahmen fortgeführt werden sollte, wird auch von der Qualität der Ergebnisse abhängen.

Nach 1945 sind in der Bundesrepublik die ersten Lehrstühle und Institute für Zeitgeschichte und Politikwissenschaft in der erklärten Absicht eingerichtet worden, den Nationalsozialismus vor allem im Hinblick auf Zwecke der politischen Bildung zu erforschen. Ähnlicher Zielsetzung widmen sich heute Einrichtungen wie das Münchner Institut für Zeitgeschichte oder das Potsdamer Zentrum zur Erforschung der SED-Diktatur. In der Bundesrepublik ist zudem ein weitverzweigtes Netzwerk der politischen Bildung entstanden, das einschlägige Informationen aufnimmt und verarbeitet – angefangen vom Sozialkundeunterricht, vom Publikations- und Tagungsbetrieb der Akademien, der Landeszentralen für politische Bildung und der Parteienstiftungen über den Ausstellungsbetrieb der historischen Museen bis zu den politischen Teilen der Zeitschriften- und Zeitungspresse, den Nachrichten- und Magazinsendungen der Fernsehanstalten und deren Talk-Shows. Dieses im internationalen Vergleich dichte Kommunikationsnetz funktioniert auf dem Sockel einer vergleichsweise soliden, alle Schichten erfassenden formalen Schulbildung.

Zwei andere Punkte scheinen mir relevanter zu sein: Das Verhältnis des Aufarbeitungsprozesses (a) zur Geschichtsforschung und (b) zur Tagespolitik.

(a) Der Historiker ist in seiner Rolle als Geschichtsschreiber daran gewöhnt, für ein Publikum von gebildeten Laien zu schreiben. Insbesondere im 19. Jahrhundert hatten literarisch anspruchsvolle Darstellungen der Nationalgeschichte Einfluß auf Ausbreitung und Prägung des Nationalbewußtseins. Das seit dem Ende des 18. Jahrhunderts entstandene historische Bewußtsein war das Medium, in dem sich ein neues nationales Selbstverständnis artikulieren konnte, das zunächst von akademischen Eliten getragen wurde und bis 1848 die Massen ergriff. Dieser Zusammenhang von Historismus und Nationalismus hat sich inzwischen aufgelöst. Die in spezialisierte Öffentlichkeiten eingebettete institutionalisierte Forschung steht unter anderen Imperativen als ein öffentlicher Gebrauch der Historie zum Zweck politischer Selbstverständigung. Damit differenzieren sich auch die Rollen der Historiker. Sie verlassen den Diskurs der Wissenschaft, wenn sie sich an die allgemeine Öffentlichkeit wenden; und auch dann ist zu unterscheiden, ob sie als Experten gefragt sind oder ungefragt als Intellektuelle auftreten.

Im Interpretationsstreit der politischen Öffentlichkeit gibt es nur Beteiligte, die sich engagiert, nämlich im Lichte

konkurrierender Wertorientierungen, darüber auseinandersetzen, wie sie sich, sagen wir nach 1990, als Bürger der
erweiterten Bundesrepublik und als Erben jener »doppelten
Vergangenheit« verstehen sollen. Soweit es dabei um Fakten
und um die Deutung von Fakten geht, verlassen wir uns auf
das Urteil der Experten, die einen Kernbestand von Tatsachen der Kontroverse entziehen und – nicht nur in extremen
Fällen wie der sogenannten Auschwitzlüge – mit wissenschaftlicher Autorität entscheiden, was als wahr oder falsch
gilt. Aber der öffentliche Gebrauch der Historie *erschöpft*
sich nicht in der Verarbeitung von Expertisen. Im Streit um
eine authentische Selbstbeschreibung oder um die beste
Interpretation von Herkunft und Bestimmung ihres politischen Gemeinwesens nehmen die Bürger die Historie in
anderer Weise in Anspruch – sie entlehnen ihr nämlich die
grundsätzlich umstrittenen Grammatiken für die begriff-
liche Perspektive, Beschreibung und Interpunktion ge-
schichtlicher Abläufe.

Seit der deutschen Vereinigung ist der Kampf um die
Interpunktion der Zeitgeschichte voll entbrannt. Wer etwa
den Zeitraum von 1914 bis 1989 zu einer einheitlichen Epoche, sei es der Ideologien, des Weltbürgerkriegs oder des
Totalitarismus zusammenzieht, wird der NS-Periode einen
anderen Stellenwert zuschreiben als jemand, der aus deutscher Sicht die Zeit zwischen 1871 und 1945 als eine Periode
des Nationalismus versteht, während der Siegeszug des demokratischen Rechtsstaates erst nach 1945 eingesetzt hat.
Aus einer anderen Interpretation ergeben sich andere Zäsuren. Wer beispielsweise die Sonderwegthese kurzerhand
umkehrt und die Bundesrepublik zu einem mehr oder minder pathologischen Interim erklärt, gewinnt freie Hand, um
die Zäsur von 1945 als »antifaschistische Umgründung« zu
bagatellisieren und statt dessen 1989 als eine Zäsur zu begreifen, die »die Raison der alten Bundesländer erledigt«

und die Rückkehr zu Konstellationen des Bismarck-Reichs eröffnet. Wer hingegen den Untergang der Weimarer Republik als Zäsur betrachtet, wird, wenn er an einer demokratischen Kultur interessiert ist, aus der 1990 wiedergewonnenen »nationalstaatlichen Normalität« weniger Hoffnung schöpfen als aus dem Stand der politischen Zivilisierung, der in der alten Bundesrepublik bis dahin erreicht worden war.

Es gibt ein breites Spektrum solcher Hintergrundtheorien, die auch in der Geschichtsforschung selbst ihren legitimen Platz haben. Sobald sie aber im öffentlichen Gebrauch zu Kristallisationskernen einer neuen kollektiven Identität werden, verlieren sie ihre ausschließlich kognitive Funktion. Und die Historiker, die mit solchen grundsätzlich umstrittenen Perspektiven und Begrifflichkeiten aus ihrer Fachöffentlichkeit heraustreten und als Essayisten oder Geschichtsschreiber in einen identitätsbildenden Selbstverständigungsprozeß eingreifen, wechseln ihre Rolle; sie treten dann nicht länger mit der Autorität von Experten auf, sondern beteiligen sich als Intellektuelle gleichberechtigt am Diskurs der Staatsbürger.

(b) So wichtig die Differenzierung zwischen Selbstverständigung und Wissenschaft ist, so wenig läßt jene sich von der Politik im allgemeinen trennen. Eine retrospektiv gerichtete Aufarbeitung der Vergangenheit empfängt nämlich ihre Orientierungen auch aus dem zeitgenössischen Horizont zukunftsgerichteter Interessen und Erwartungen. Deshalb kommuniziert die Aufarbeitung der Vergangenheit *stets* mit politischen Fragen der Gegenwart. Die Selbstverständigung läßt sich nicht in abstracto auf »Werte« beziehen, sondern steht in einem hermeneutischen Zusammenhang mit der Verständigung über aktuelle Herausforderungen. Beides korrigiert sich wechselseitig. Die Lehren, die wir aus unseren Erfahrungen mit zwei Diktaturen ziehen –

die Traditionen, die wir uns aneignen, und die, die wir revidieren –, haben heute Bedeutung etwa für die Frage, wie wir unser Zusammenleben mit Minoritäten regeln, welche Einwanderungspolitik wir betreiben, welches Europa wir anstreben sollen, wie wir unsere Interessen gegenüber Mittel- und Osteuropa, wie die neue Rolle der UNO und, in deren Rahmen, die Aufgabe der Bundeswehr definieren wollen. Diese Optionen werfen auch ihrerseits neues Licht auf die Vergangenheit; sie haben Einfluß auf die Entscheidung, ob wir uns auf einen Aufarbeitungsprozeß, mit welchem Ausgang auch immer, überhaupt einlassen oder ob wir ihm von vornherein jeden Sinn bestreiten, damit wir endlich, wie es immer wieder heißt, »Besiegtenmentalität« und »Schuldmetaphysik« abschütteln können. Auf diese Weise verbinden sich im Selbstverständigungsdiskurs die Deutung der Herkunft und die Orientierung an der Zukunft wie zwei kommunizierende Röhren.

3. Deutsche Ungewißheiten

Französische Blicke,
französische Befürchtungen

Frage: Sie unterscheiden sich von Ihren deutschen Universitätskollegen dadurch, daß Sie in heikle öffentliche Debatten eingreifen. Ihre Interventionen finden auch in der internationalen Öffentlichkeit Aufmerksamkeit. Zunächst zum philosophischen Hintergrund: Sie betrachten die Gefahren unserer Zivilisation, die Adorno und Heidegger als unausweichliches Schicksal begriffen haben, eher als eine praktische Herausforderung.

Ich würde Adorno und Heidegger nicht in einem Atemzug nennen. Gewiß, beide dramatisieren ihre Zeitdiagnosen durch eine ausgreifende verfallsgeschichtliche Perspektive. In der »instrumentellen Vernunft« oder im »Gestell der Technik« sollen schicksalhafte Tendenzen der Selbstbemächtigung und der Verdinglichung zum Durchbruch kommen, die ins Archaische zurückreichen. Aber Adorno wußte, daß noch die radikalste Vernunftkritik auf eine Kraft der Negation angewiesen ist, die der Vernunft selber entspringt. Er ist niemals wie Heidegger zum Gegenaufklärer geworden. Deshalb war er inkonsequent genug, als öffentlicher Intellektueller anders zu sprechen und zu handeln, als man es vom Theoretiker der »verwalteten Welt« erwartet hätte. Trotz seines theoretischen Pessimismus hat er sich gegenüber dem größeren Publikum geradezu volkspädagogisch verhalten.

Frage: Aber nehmen Sie als Intellektueller nicht doch zu öffentlichen Fragen eine andere, sagen wir pragmatischere Einstellung ein als Adorno wie Heidegger?

Vielleicht hat sich erst meine Generation von bestimmten Prätentionen der deutschen Mandarinenkultur gelöst. Wir sind eben nach dem Krieg stärker mit dem angelsächsischen Geist in Berührung gekommen. In der Philosophie gibt es inzwischen auch ein deutlicher ausgeprägtes fallibilistisches Bewußtsein. Weder traue ich dem starken Theoriebegriff der philosophischen Tradition, sozusagen der Wahrheit mit dem großen W; noch trauere ich dem Verlust dieser Totalitätserkenntnis – im Stile einer Negativen Theologie – nach.

Frage: Na ja, aber Sie wollen ja auch sagen, was in unserer Zeit auf dem Spiel steht und wie wir den Herausforderungen begegnen können. Welche Themen haben Sie dabei vor allem im Auge und welche Ziele verfolgen Sie?

Darauf kann man nur mit einem Buch oder mit einem Satz antworten: Max Webers Frage nach den Paradoxien der Rationalisierung ist nach meiner Auffassung immer noch der beste Schlüssel für eine philosophisch und wissenschaftlich informierte Zeitdiagnose.

Frage: Was heißt das?

Wir sollten uns ohne Wehleidigkeit Klarheit verschaffen über das ironische Muster eines sich selbst dementierenden gesellschaftlichen und kulturellen Fortschritts und damit über den Preis einer Modernisierung, an der wir gleichwohl festhalten. Im Augenblick herrscht eine etwas undialektische Aufklärungskritik, aus der wir nicht viel lernen können. Als Horkheimer und Adorno von »instrumenteller Vernunft« gesprochen haben, meinten sie ja nicht, daß man die Vernunft mit der objektivierenden Verstandestätigkeit eines sich selbst behauptenden Subjekts einfach gleichsetzen darf. Sie wollten auf die Pointe hinaus, daß ein zur Totalität aufgeblähter Verstand den Platz usurpiert, der eigentlich der Vernunft zusteht. Die Aufklärung schlägt in positivistische Mythen um, zeigt insbesondere in unserem Jahrhundert ihre barbarische Rückseite; die unverhüllten Schrecken der existierenden Unvernunft haben uns den letzten Rest an essentialistischem Vernunftvertrauen ausgetrieben. Aber gleichzeitig gibt es, soweit wir sehen können, zu einer Moderne, die sich ihrer eigenen Kontingenzen bewußt geworden ist, keine Alternative. Je weniger wir uns auf imaginäre Ausflüchte verlegen, um so weniger sind wir in Versuchung, die Risiken, die der Moderne innewohnen, in ein von langer Hand vorbereitetes *Verhängnis* umzudeuten. Es gibt weder ein Höheres noch ein Tieferes, an das wir appellieren könnten, sondern nur die prozedural ernüchterte Vernunft – eine allein mit Gründen prozessierende, auch gegen sich selbst prozessierende Vernunft. Das hat ja schon Kant gemeint: die Kritik der Vernunft ist deren eigenes Werk.

Frage: Ist das nicht doch der alte Rationalismus?

Nicht, wenn die Dialektik der Aufklärung von dem radikal antiplatonischen Mißtrauen gegen den ideologischen Trost falscher Allgemeinheiten bewegt wird. Die Arbeit der selbstkritischen Vernunft besteht ja darin, ihre eigenen unvernünftigen Projektionen zu überwinden. Eine solche Vernunft kann ihre kritischen Energien in die Bindungskräfte einer zwanglos einigenden Kommunikation umsetzen. Ich meine die Kraft der intersubjektiven Verständigung, die im Konfliktfall die einzige Alternative zur Gewalt ist. Sie ermöglicht nämlich mit dem zwanglosen Zwang des besseren Arguments eine gewaltlose Einigung – auch die Einigung unter Fremden, die eine solche Kommunikation brauchen, um sich als Fremde anerkennen und gerade in den Zügen respektieren zu können, worin sie »anders« sind und sich voneinander unterscheiden.

Frage: Um etwas konkreter zu werden: Die Umwälzungen in Ost- und Mitteleuropa haben das Selbstverständnis unserer Epoche grundlegend verändert. Sind die Probleme unserer Zeit noch die, die Sie in den sechziger und siebziger Jahren aus der Sicht von Emanzipationsvorgängen identifiziert und untersucht haben? Oder erscheinen Ihnen die heutigen Probleme ganz anderer Art zu sein?

Nun, die »nachholende Revolution«, der wir mit Staunen und Enthusiasmus beigewohnt haben, kann man doch eine Emanzipation nennen. Gewiß, niemand hat mit diesem Bankrott des Staatssozialismus gerechnet. Ein unerwartetes Ereignis von welthistorischer Größenordnung bringt natürlich neue Probleme mit sich, Probleme, von denen wir uns vor zehn Jahren nichts hätten träumen lassen – die Rückübersetzung einer maroden Staatswirtschaft in privatkapitalistische Eigentumsverhältnisse, die Wiederkehr ethnisch motivierter Bürgerkriege und nationalistischer Konflikte, den Zerfall der bipolaren Weltordnung und eine neue Konstellation der Kräfte in Mitteleuropa. Andererseits erzeugen tiefe Zäsuren auch ihre eigenen Illusionen: wir vergessen, daß die neuen Probleme kein neues Licht auf unsere alten Probleme werfen. Davon lenken sie nur ab.

Frage: Woran denken Sie?

Heute haben wir in der EG 17 Millionen statistisch erfaßte Arbeitslose. Für das kommende Jahr sind 36 Millionen Arbeitslose in den OECD-Ländern prognostiziert. Selbst der nächste Aufschwung wird sich nach dem Muster des »jobless growth« vollziehen. Das bedeutet, daß sich die Tendenzen zu einer Segmentierung unserer Gesellschaften verstärken werden – mit den aus den USA bekannten Konsequenzen der Gettoisierung, der Verwahrlosung der Innenstädte, der steigenden Kriminalität usw. Gar nicht zu reden von den Problemen der Einwanderung, der Ökologie, der Gleichstellung der Frauen usw. Kurzum, jene Probleme, die wir bis 1989 unter Gesichtspunkten eines sozialen und ökologischen Umbaus des Industriekapitalismus behandelt haben, sind nur noch hartnäckiger geworden. Allerdings hat die drastisch wachsende Interdependenz der Weltereignisse auch dem letzten die Illusion geraubt, daß wir diese Dinge weiterhin aus unseren national beschränkten Perspektiven behandeln könnten. Die Verantwortung, die der Westen für das wachsende Elend in Osteuropa zu spüren bekommt, die weltweiten Migrationsströme, deren Ursachen ohne eine Rekonstruktion der ehemals Dritten Welt nicht zu beseitigen wären, der Druck der internationalen Konflikte und die neue Rolle der UNO – das alles hat uns empfindlicher gemacht für die globale Dimension der Gleichzeitigkeit des Ungleichzeitigen.

Frage: Rechnen Sie mit einer Verstärkung auswegloser Krisen in aller Welt, oder sind das Krisen, die schon den Keim der Lösung in sich tragen?

Das kann ich nicht sagen. Manches an unseren Reaktionen ist vielleicht zu subjektiv. Die wahrgenommene Kumulation weltweiter Probleme hat auf viele Beobachter eine lähmende Wirkung. Die Systemtheorie verbreitet eine Botschaft, die wieder Resonanz findet: alles ändert sich, aber nichts geht mehr. Ich habe das Gefühl, daß sich jene Konstellation am Beginn der europäischen Arbeiterbewegung, als sich die Massen gegen die Herrschaft der Bourgeoisie auflehnten, unter anderen Vorzeichen heute weltweit wiederholt. Allerdings verfügen die Massen aus den verelendeten Regionen dieser Welt über keine wirksamen Sanktionen gegen den Norden – sie können nicht streiken, allenfalls mit Immigrationswellen »drohen«. Und was in Europa eine nichtbeabsichtigte Nebenfolge des Drängens auf Emanzipation war, ist heute erklärtes Ziel: die Integration in die Lebensformen der wohlhabenden Gesellschaften, also Teilhabe an einer Zivilisation, die ihre Errungenschaften global ausstrahlt und mit Vorboten wie TV-Serien, Coca-Cola und Jeans tatsächlich bis in den letzten Winkel vorgedrungen ist. Gleichzeitig weiß man, daß sich schon aus ökologischen Gründen das zugehörige Wohlstandsniveau nicht auf die ganze Welt übertragen läßt.

Frage: Die Umwälzungen treffen die Bundesrepublik in einer besonderen Lage. Anders als die Staaten im Osten, die

*ihre Probleme auf der Grundlage ihrer wiedergewonnenen
politischen Unabhängigkeit offensiv lösen müssen, sieht sich
Deutschland im Prozeß der Wiedervereinigung gleichsam
selbst ins Angesicht. Wird es mit dieser introvertierten Situation alleine fertig?*

Als der engste Partner Frankreichs und als Mitglied der
EG sind wir glücklicherweise nicht alleine. Zudem bleibt
für ein derart von Exporten abhängiges Land die formell
wiederhergestellte staatliche Souveränität ein bißchen fik-
tiv. Andererseits können solche Fiktionen, wenn sie die
Phantasie der Massen – oder auch nur der Eliten – beflügeln,
ein eigenes Gewicht erhalten. Manche träumen wieder von
einer erneuten europäischen Großmacht Deutschland in
der Mitte Europas. Deswegen ist es wichtig, mit welcher
politischen Mentalität die Deutschen aus ihrer Selbstbegeg-
nung herauskommen werden. Viele Westdeutsche haben
das Gefühl, im Osten einem Stück ihrer Vergangenheit zu
begegnen. Dadurch werden legitime Erinnerungen und
nostalgische Gefühle, aber auch unbewußte Motive aufgerührt, die längst vergessen schienen. Selbst unter Intellektuellen begegnet man merkwürdigen Sentiments, z. B. dem
Aufatmen darüber, daß wir mit der nationalen Teilung auch
eine angebliche kulturelle Überfremdung überwunden hätten – und nun erst zu unserem Eigensten zurückkehren
könnten. Statt das schmoren zu lassen, brauchten wir eine
offene Debatte über die Rolle des neuen Deutschlands. Diese
Selbstverständigung hätte im Rahmen einer Verfassungs-
debatte stattfinden sollen. Das war wegen des überstürzten
Tempos der Wiedervereinigung nicht möglich.

*Frage: Welchen Stellenwert hatte denn in diesem Zusam-
menhang die Debatte über die Änderung des Asylrechts?
Sehen Sie dieselben Gefahren in Frankreich, wo die Regierung mit einer Reform des Staatsbürgerrechts das seit der
Revolution herrschende ius soli in Frage gestellt hat?*

Der französische Innenminister Pasqua hat ja nach dem Regierungswechsel schnell gehandelt. In der Bundesrepublik hat jedenfalls die Art und Weise, mit der die konservativen Parteien dieses Thema gegen eine hilflose Opposition ausgespielt haben, großen Schaden angerichtet. Vor dem Hintergrund der erwähnten Mentalitätsverschiebungen und jener Konfliktpotentiale, die sich als soziale Folgen der Einigung angesammelt haben, hat die skrupellose Anheizung des Asylthemas den ohnehin wachsenden Fremdenhaß und den Antisemitismus noch geschürt. Für das Immigrationsproblem gibt es so oder so keine einfachen Lösungen. Aber in Deutschland sind, gleichviel wie man zu der vom Bundestag beschlossenen Asylrechtsänderung steht, zwei Dinge nötig. Erstens brauchen wir eine Einwanderungspolitik, damit andere rechtliche Optionen offenstehen und nicht jeder, der einwandern will, politisches Asyl beantragen muß; zweitens müssen wir die Einbürgerung jener Ausländer erleichtern, die wir seit Mitte der fünfziger Jahre vor allem aus Südosteuropa als Gastarbeiter ins Land geholt haben und die in der paradoxen Rolle von Deutschen mit fremdem Paß bei uns leben – und nun Angst haben, wie in Mölln oder Solingen Opfer von rechtsradikalen Brandanschlägen zu werden.

Frage: Wie kann denn der Rassismus in Deutschland und allgemein in Europa bekämpft werden? Ist er von der gleichen Art wie in den dreißiger Jahren?

Auf die zweite Frage würde ich mit Ja und Nein antworten. Obwohl die Anschläge und Morde mit rechtsterroristischem Hintergrund in Ostdeutschland überproportional häufig aufgetreten sind, bieten die katastrophalen Belastungen dort, in den nunmehr deindustrialisierten Gebieten mit einer regionalen Arbeitslosenquote bis zu 40 %, immerhin eine Erklärung. Aber im Westen Deutschlands haben sich nicht die Umstände geändert, hier haben sich die Schleusen geöffnet: Die alten Vorurteile waren einer informell wirksamen Zensur unterworfen und sprudeln nun wieder. Dann hat aber der aktuelle Haß auf alles Fremde und nur irgendwie Abweichende eine Genealogie, die – durch welche unauffälligen Traditionen auch immer – bis in die Nazizeit zurück und wahrscheinlich durch sie hindurch reicht. Andererseits ist der Vergleich mit den dreißiger Jahren schief. Denn seit den frühen sechziger Jahren hat sich die politische Mentalität der bundesdeutschen Bevölkerung unverkennbar liberalisiert. Dieser Einstellungswandel hat im Gefolge der Studentenrevolte auch breitere Kreise erfaßt. Die Frage ist, ob sich diese politische Zivilisierung der alten Bundesrepublik heute, nach der Vereinigung, fortsetzt. Ein guter Indikator ist die Einstellung zur Westorientierung der Bundesrepublik. Dabei denke ich mehr noch an die intellektuelle als an die außenpolitische Dimension der Westbindung.

Frage: Aber auch die ist wichtig. Welchen Platz sollte denn Deutschland im internationalen Kontext einnehmen?

Wir sollten die Politische Union Europas vorantreiben, aber nicht wie bisher administrativ am Volk vorbei. Weil auch in der Bundesrepublik die Widerstände wachsen, brauchen wir die öffentliche Auseinandersetzung über den weiteren Ausbau der Gemeinschaft, der wohl über Maastricht führen, aber eine entschiedene Demokratisierung der Brüsseler Institutionen und eine wirksame politische Vernetzung der nationalen Öffentlichkeiten in Europa zum Ziel haben muß. Zum anderen sollten wir uns mit der Bundeswehr auch an UNO-Einsätzen beteiligen, aber Einfluß darauf nehmen, daß sich die UNO bald aus einem beschließenden zu einem handelnden Organ entwickelt. Sie muß ihre Operationen mit einer Streitmacht unter eigenem Kommando durchführen können, wenn sie als neutrale Ordnungsmacht anerkannt werden will. Das sind zwei Beispiele für ein Kontrastprogramm zu der nach Osten blikkenden, souveränitätsbewußt militarisierten Außenpolitik, die sich bei uns subkutan anbahnen könnte. Ungut ist jedenfalls der diffuse innere Zustand der Bundesrepublik, in dem die Alternativen merkwürdig unscharf bleiben. Die unheimliche Parole »Deutschland wird deutscher« bringt vorerst nur eine vage, durch unsere inneren Probleme gedämpfte Stimmung zum Ausdruck.

Das deutsche Sonderbewußtsein regeneriert sich von Stunde zu Stunde

Frage: Wenn man sich umsieht, könnte man meinen, Theorien wohnten heutzutage hinter dem Mond. Der Pessimismus der älteren Kritischen Theorie scheint sich eher zu bewahrheiten als die technokratische Waffenruhe von Gehlen, die schöne Welt der Postmoderne, der Abschied vom Prinzipiellen oder die Diskursgemeinschaft.

Das sind griffige Formulierungen, die nicht greifen. Gehlens Vorstellungen vom Gefrierzustand des posthistoire, in dem alle Möglichkeiten durchgespielt sind und nichts mehr geht, haben doch mit Adornos Vorstellungen einer totalitär verwalteten Welt mehr als die melancholische Gefühlslage gemeinsam. Und der postmodernen Beliebigkeit oder dem Abschied vom Prinzipiellen, denen ich nicht eben das Wort rede, fehlt ja keineswegs der deskriptive Gehalt. Denken Sie beispielsweise an die Masse der Politiker, denen bei Themen wie Lauschangriff, Asylrecht, Blauhelmeinsätzen usw. jede Empfindlichkeit für den normativen Eigensinn von Rechtsgrundsätzen, überhaupt für die Dimension der Selbstbindung politischer Macht abgeht; in vorauseilendem Gehorsam gegenüber vermeintlichen Sachzwängen leistet die politische Klasse mehr als den berufsnotwendigen Opportunismus. Ich will damit nur sagen: die Etiketten, die man Theorien anklebt, sagen eher etwas über die Wirkungsgeschichte von Mißverständnissen aus als über die Theorien selbst. Das gilt auch für Signalwörter wie »Diskurs« oder »herrschaftsfreie Kommunikation«. Wenn man die Ergebnisse einer Theorie schon plakativ bündeln will, muß man sie wenigstens auf die Problemstellungen beziehen, von denen die Theorie ausgeht. Ich bin ausgegangen vom Schwarz in

Schwarz der älteren Kritischen Theorie, die die Erfahrungen mit Faschismus und Stalinismus verarbeitet hat. Obwohl unsere Situation nach 1945 eine andere war, hat mich dieser illusionslose Blick auf Triebkräfte einer selbstdestruktiven Gesellschaftsdynamik erst dazu gebracht, nach den Quellen der Solidarität des Einen mit dem Anderen zu suchen, die noch nicht ganz versandet sind. Es sind ja die Anderen, sogar die Fremden, und nicht mehr die von Haus aus miteinander vertrauten Genossen, deren Schicksal uns heute berühren muß, wenn wir es nicht soweit kommen lassen wollen, daß wir eines Tages alle dran glauben müssen.

Frage: Dennoch – treibt nicht die Kritische Theorie wie in einer Nußschale auf dem Meer der Unvernunft? Ist das Projekt der Moderne kein Projekt mehr, sondern nur noch Verteidigung – die Rettung der Gegenwart vor der Zukunft?

Alexander Kluge spricht mit Recht vom Angriff der Zukunft auf die Gegenwart. Aber war nicht das moderne Zeitbewußtsein schon immer Krisenbewußtsein, also dadurch gekennzeichnet, daß die Gegenwart durch die Antizipation von zuviel künftiger Gegenwart unter Druck geriet? Lieber als der Gestus der Ganz Großen Entmutigung ist mir der ermutigende Alarmismus im Kleinen. Das »eingreifende Denken«, das Adorno trotz allem favorisiert hat, zahlt Erkenntnisse in kleiner Münze aus: zeitdiagnostisch erfaßt eine Theorie bestenfalls gegenläufige Tendenzen innerhalb eines mit Befürchtungen und Hoffnungen besetzten Horizonts.

Frage: Der Teufel kommt immer durch ein anderes Schlüsselloch. Welche Einflußgrößen hat die »Theorie des kommunikativen Handelns« unterschätzt? Hat man nicht auch die Verteilungsprobleme unterschätzt? Kapitalismus als ewiges Subsystem, mit dessen Entgegenkommen die Zivilgesellschaft rechnen kann?

Der Begriff des »kommunikativen Handelns« lenkt die Aufmerksamkeit auf die Bindungsenergien der Sprache, auf den eingewöhnten Hintergrundkonsens, den wechselseitigen Vertrauensvorschuß und die gewissermaßen naive Verständigungsbereitschaft, womit wir in der kommunikativen Alltagspraxis rechnen. Der Pragmatismus hat uns gelehrt, den Common Sense und die Lebenswelt ernstzunehmen. Das bedeutet aber nicht die Verhimmelung einer heilen Welt! Gesellschaftstheoretisch ist die Lebenswelt für mich nur deshalb interessant geworden, weil sich deren versehrbare Infrastruktur als Maßstab für gesellschaftliche Krisen anbietet. Anders ausgedrückt: die Lebenswelt ist der Resonanzboden für Krisenerfahrungen. Daß der Kapitalismus der Verletzung der moralischen Gleichgewichte der Gesellschaft gegenüber ebenso unempfindlich ist wie die Technik gegenüber der Störung der ökologischen Gleichgewichte der Natur, ist ja heute fast schon ein Gemeinplatz. Daraus ergibt sich die praktische Notwendigkeit der sozialstaatlichen Bändigung und des ökologischen Umbaus unseres Wirtschaftssystems. Das ist leichter gesagt als getan, denn der Entkoppelung selbstgesteuerter Systeme von der Lebenswelt verdankt die Gesellschaft gleichzeitig ihre Produktivität und ihre Dauerkrise – die Verselbständigung der Rationalitäten von Teilsystemen gegenüber den Imperativen von Lebensformen, die über Werte, Normen und Verständigungsleistungen integriert sind, ist ein zweideutiges Phänomen.

Frage: Ihr letztes Buch Faktizität und Geltung *ist eine Rechtsphilosophie. Vorher hatten Sie sich eher mit Moraltheorie befaßt. Erklärt sich Ihr Interesse am Recht aus der Einsicht, daß hochdifferenzierte Gesellschaften allein über die politische Öffentlichkeit normativ nicht zu integrieren sind? Haben Sie die freiheitssichernden Momente des Rechts unter-, die Selbstbestimmung der Individuen überschätzt?*

Nun, wenn die Moral gewissermaßen autonom wird und sich, wie in Gesellschaften unseres Typs, nicht mehr ohne weiteres auf die substantielle Sittlichkeit herkömmlicher Pflichten, also weder auf Religion noch auf Gewohnheit stützen kann, dann fällt auf die schwachen Schultern der einzelnen Person eine ganz schöne Bürde. Mit der bloßen Einsicht in das, was im gleichmäßigen Interesse eines jeden liegt, ist für die Praxis noch nicht viel gewonnen. Wir wissen dann, daß wir keine guten Gründe haben, anders zu handeln – aber tun wir's auch? Deshalb läßt sich das positive Recht auch als eine funktional notwendige Ergänzung einer anspruchsvollen, aufs subjektive Gewissen umgestellten Moral begreifen. Die Rechtsordnung des demokratischen Verfassungsstaates verkörpert einen moralischen Gehalt und ist zur Verwirklichung dieses Gehalts seiner Prinzipien nicht mehr nur auf den guten Willen der Adressaten angewiesen. Allerdings ist das demokratische Verfahren der Gesetzgebung, das die Adressaten des Rechts erst zu dessen Autoren macht, auf eine aktive Staatsbürgerschaft angewiesen, auf Motive, die rechtlich nicht erzwingbar sind. Insofern zehren die Institutionen des Rechtsstaates vom Kommunikationszusammenhang politischer Öffentlichkeiten und liberaler Traditionen, die das Rechtssystem nicht aus eigener Kraft hervorbringen kann.

Frage: Ist nicht die Komplexität einer hoch differenzierten Gesellschaft der Fels, an dem eine solche normative Integration scheitern muß?

Das ist eine dieser Fragen, die sich nicht in abstracto beantworten lassen und die den unvorsichtigen Theoretiker zu einer apriori-Antwort verleiten: Wir können das nur durch eine kluge Praxis herausfinden, die sich nicht durch falsche Aprioris entmutigen läßt.

Frage: Von systemtheoretischer Seite lautet der Einwand: Die Subsysteme arbeiten nur dann, wenn man sie nicht bei

der Arbeit stört. So auch das Recht. Wie wollen Sie da
moralische Grundsätze implementieren?

Die Moral wird überhaupt nicht implementiert, die lernt
jeder von uns, wenn er in halbwegs intakten Verhältnissen
aufwächst. Der moralische Gesichtspunkt steckt schon in
den Strukturen einfacher kommunikativer Handlungen, in
denen wir uns gegenseitig als zurechnungsfähige, zugleich
verletzbare und schutzbedürftige Personen anerkennen.
Das Recht kann man sich als einen Transmissionsriemen
vorstellen, der diese aus konkreten Verhältnissen bekannten
Strukturen gegenseitiger Anerkennung auf abstrakte Beziehungen zwischen Fremden überträgt. Ronald Dworkin, der
bedeutende amerikanische Rechtstheoretiker, hat anhand
von Grundsatzurteilen gezeigt, daß das Recht ohne Moral
nicht auskommt: In schwierigen Fällen müssen die Richter
bei der Rechtsanwendung jenes Bündel von pragmatischen,
ethischen und moralischen Gründen wieder aufschnüren, in
deren Licht der politische Gesetzgeber die einschlägigen
Normen begründet hat – oder hätte begründen können. Das
positive Recht spricht gewiß eine eigene Sprache, aber es ist
keine moralisch neutrale Einrichtung.

Frage: Es hat sich aber doch, zum Beispiel beim Streit um
den Einsatz deutscher Truppen bei Aufklärungsflügen über
dem ehemaligen Jugoslawien, gezeigt, daß die Exekutive
sich lieber an die Rechtsprechung rückkoppelt…

Ich bin nicht der einzige, der in diesem Fall nicht nur die
Bundesregierung, sondern auch die Entscheidung des Bundesverfassungsgerichts kritisiert. Das Gericht hätte die
Klage nicht annehmen und die politische Entscheidung
an den Gesetzgeber zurückgeben sollen – jedenfalls dann,
wenn es sich gemäß einem prozeduralen Verständnis unserer Rechtsordnung als Hüter eines demokratischen Prozesses der Rechtsetzung verstehen würde und nicht als Wahrer
einer überpositiven Ordnung substantieller Werte. Es sollte

darüber wachen, daß die demokratischen Verfahren für eine inklusive Meinungs- und Willensbildung eingehalten werden, und nicht selbst die Rolle des politischen Gesetzgebers übernehmen.

Frage: Ist die Perspektive nicht vielmehr eine harte Verrechtlichung der Politik? Wenn man dann noch die Idee einer patriotischen Elite hinzunimmt, haben Sie einen Rechtsstaat, der auf der Bühne einer formal verstandenen Demokratie operiert und sich auch selber programmiert.

Gegen diese autoritäre Konzeption des Rechtsstaats, die ja in Zeiten der konstitutionellen Monarchie entstanden ist und in Deutschland Tradition hat, habe ich in *Faktizität und Geltung* die These stark zu machen versucht: Kein Rechtsstaat ohne radikale Demokratie. Diese Ergänzung ist nicht nur normativ wünschenswert, sondern konzeptuell notwendig, weil sonst die Autonomie der Rechtsperson halbiert wird. Wenn man die Idee einer Gemeinschaft von freien und gleichen Rechtspersonen ernstnimmt, wird man nicht bei einer paternalistischen Rechtsordnung Halt machen können, die allen gleiche private Handlungsfreiheiten einräumt. Denn der Gleichverteilung subjektiver Rechte können sich die Bürger erst sicher sein, wenn sie sich als Mitgesetzgeber auf die Hinsichten und Kriterien geeinigt haben, nach denen Gleiches gleich und Ungleiches ungleich behandelt werden soll. Dabei besitzt allein das demokratische Verfahren, das eine vernünftige Einigung verspricht, legitimierende Kraft. So ist die öffentliche Autonomie von Staatsbürgern, die sich in demokratischen Prozessen der Meinungs- und Willensbildung ihre eigenen Gesetze geben, gleichursprünglich mit der privaten Autonomie der Rechtssubjekte, die diesen unterworfen sind. Die prozedural begriffene Demokratie darf mit einer bloß formalen nicht verwechselt werden. Ich verstehe jedenfalls das Verfahren deliberativer Politik so, daß es die Verwendung administrativer Macht an den öffentlichen Gebrauch kommunikativer Freiheiten rückkoppelt und die öffentliche Verwaltung an einer Selbstprogrammierung gerade hindert.

Frage: Wie soll sich eine Gesellschaft kollektiv verständigen, wenn die Medien dieser Selbstbestimmung von privatem Kapital beherrscht werden? Die seriösen Printmedien verlieren an Einfluß und Aufmerksamkeit. Die herrschaftsfreie Kommunikation der Talk-Shows kann ja wohl nicht das Vorbild sein.

Die Zulassung des privaten Fernsehens hat gewiß allgemein das Niveau der Programme gedrückt. Aber der Blick auf die Inhalte ist ein bißchen konkretistisch. Je komplexer die Netzwerke und je größer die erforderlichen Investitionen, um so stärker entfaltet sich ein neuer Typus von Macht – die Macht der Publizisten und derer, von denen die Publizisten abhängig sind oder sich abhängig machen. Aufmerksamkeit und Rezeptionsbereitschaft des Publikums bilden eine knappe Ressource, um die immer mehr Sender konkurrieren. Deshalb üben die, die Informationen sammeln, auswählen, bearbeiten und präsentieren, ob sie es wollen oder nicht, eine Kontrolle über den Zugang von Themen, Beiträgen und Autoren zur massenmedial beherrschten Öffentlichkeit aus. Diese Medienmacht hat eine politische Dimension und bedarf der verfassungsrechtlichen Regulierung. Es gibt eine Reihe vernünftiger medienrechtlicher Entscheidungen des Bundesverfassungsgerichts. Aber das reicht zu einer demokratieverträglichen Institutionalisierung offensichtlich nicht aus.

Frage: Wie soll denn eine Institutionalisierung der Vierten Gewalt aussehen, wenn man nicht bei der Ohnmacht des Sollens stehen bleiben will?

Grundsätze für eine Mediencharta werden ja immer wieder formuliert. Aber zur Operationalisierung der hehren Grundsätze braucht man institutionelle Phantasie. Ich habe mich damit nicht beschäftigt. Wenn man daran denkt, daß auf der Input-Seite der Medien nur wenige große Informationsproduzenten das vom Fernsehen konstruierte Bild von der Politik bestimmen, könnte man beispielsweise eine Idee aufgreifen, die in anderem Zusammenhang, nämlich der Debatte um den Neokorporatismus, vorgetragen worden ist. Ich meine das Voucher-System: Ein öffentlicher Fonds für die Ausstattung von Bürgerinitiativen oder meinungsbildenden Assoziationen, die sonst nur marginalen Einfluß hätten, wird von den Wählern auf eine Liste von qualifizierten Bewerbern verteilt.

Frage: Wie soll denn eine »vermachtete« Öffentlichkeit regeneriert werden? Doch nicht nur durch gutes Zureden. Politische Kultur ist nicht organisierbar. Wie wollen Sie das organisieren?

Gar nicht. Es gibt mehr oder weniger glückliche Konstellationen von Überlieferungen, urbanen Verkehrsformen, Sozialisationsmustern, Schulsystemen usw. Sowenig wie man eine liberale politische Kultur aus dem Hut zaubern kann, sowenig läßt sich eine aktive Bürgergesellschaft mit einem Netzwerk von freiwilligen Assoziationen einfach herstellen. Daß sich die Geschichte fabrizieren ließe, war eine Illusion der Geschichtsphilosophie. Die administrative Macht ist nicht das richtige Medium für die Entstehung oder gar Erzeugung emanzipierter Lebensformen. Die kommunikativen Strukturen einer Lebenswelt verändern sich wiederum übers Medium der Kommunikation. Eine funktionierende Öffentlichkeit verlangt als Kehrseite private Lebensbereiche, die intakt sind; dafür ist das Modell einer aus Privatleuten rekrutierten bürgerlichen Öffentlichkeit immer noch lehrreich. Andererseits gibt es Nationen, in denen sich ebensolche entgegenkommenden Elemente herausgebildet haben.

Frage: Der Einwand könnte sein: Die Lebenswelt ist ja

schon mit dem politischen System über allgemeine Wahlen
verbunden – und erzeugt schon politische Macht.

Natürlich steckt in den Institutionen des Verfassungsstaates und in unseren besseren politischen Überlieferungen
schon ein Stück existierender Vernunft. Aber es kommt
darauf an, wie wir die Demokratie betrachten. Für die
glücklichen Erben, die den status quo verteidigen, sind
politische Wahlen eine Einrichtung, um aus den subjektiven
Präferenzen aller einzelnen eine Summe zu ziehen und zwischen konkurrierenden Eliten zu entscheiden. Das ist nicht
ganz falsch, aber wenn man Demokratie als eine Einrichtung deliberativer Politik versteht, sind politische Wahlen in
erster Linie das Ergebnis eines öffentlichen Gebrauchs
kommunikativer Freiheiten. Aus dieser Sicht bilden sich in
den informellen Diskursen öffentliche Meinungen, deren
Einfluß sich über das Institut allgemeiner Wahlen zu politischer Macht kondensiert. In den beratenden und beschließenden Körperschaften soll sich dann die politische Mei-
nungs- und Willensbildung selbst nach demokratischen
Verfahren vollziehen, die die Vermutung vernünftiger Ergebnisse begründen. Eine solche Konzeption ist anspruchs-
voller als die eingefahrenen Elitevorstellungen der Konkur-
renzdemokratie, sie steht aber in Einklang mit einer Politik,
die innovative Anstöße beinahe nur noch aus kulturell mo-
bilisierten Öffentlichkeiten empfängt.

Frage: Muß einem nicht eher angst und bange werden vor
neuen Demokratisierungsschüben, die wie beispielsweise die
Schulreform in der Gesamtschule bürokratisch erstarren?

Demokratisierungsschübe, die durch die Kanäle und Verfahren einer mehr oder weniger diskursiven Willensbildung
hindurchgeschleust werden müssen, um kommunikative
Macht zu erzeugen, haben nichts Totalitäres an sich. Aber
nur wer über administrative Macht verfügt, kann »handeln«. Freilich versanden Reformimpulse oft im Geflecht

bürokratischer Maßnahmen, weil die Implementierung neuer Programme ohne eine fortgesetzte demokratische Teilnahme der Betroffenen gar nicht möglich ist.

Frage: Ruft nicht ein Fundamentalismus den anderen hervor? Manche Leute nennen Sie ja bereits einen »Aufklärungsfundamentalisten«. Ist nicht der Universalismus, den Sie vertreten, blind gegenüber dem Partikularen? Nun rächt sich das Besondere, indem es sich absolut setzt – das Ethnische, die Hautfarbe, das Nationale, noch den Rechtsradikalismus könnte man so verstehen.

Es gibt verschiedene Universalismen. So sprechen wir von Universal- oder Weltreligionen, die für bestimmte Lehrinhalte und für exemplarische Lebensformen einen ausschließlichen Wahrheitsanspruch erheben. Demgegenüber stützen sich die modernen Wissenschaften nur noch auf Methoden und Verfahren, die die Gültigkeit ihrer Ergebnisse sichern sollen. In ähnlicher Weise formal sind kantische Moralauffassungen, wie sie beispielsweise der Theorie der Gerechtigkeit von John Rawls oder auch der Diskursethik zugrunde liegen. Hier ist es nur noch ein Verfahren, das die Unparteilichkeit des Urteils garantieren soll. Diese Verfahrensgerechtigkeit hat nichts Überwältigendes. Sie buchstabiert nur jene Idee von Gleichberechtigung und gegenseitiger Anerkennung aus, die auch jeder Kritik an der Vergewaltigung des Besonderen durch ein Allgemeines zugrunde liegt. Indem der moralische Universalismus gleiche Achtung für jeden fordert, ermöglicht er doch gerade den Individualismus, nämlich die Anerkennung des Einzelnen und des Besonderen. Der Kategorienfehler der Kritiker hängt damit zusammen, daß sie ein falsches Modell wählen – nämlich die normalisierenden, gleichmacherischen Eingriffe einer Bürokratie, die für die Eigenart und das Eigenrecht einzelner Fälle unsensibel ist. Das hängt aber eher mit bestimmten Eigenschaften des

Mittels administrativer Macht als mit der normativen Idee der Gleichbehandlung zusammen.

Frage: Kommunitaristen wie Charles Taylor oder Michel Walzer meinen, daß man in manchen Fällen Individualrechte zugunsten von Kollektivrechten beschneiden müsse, um die Unterdrückung kultureller oder nationaler Minderheiten zu verhindern – also doch kollektive Identität gegen individualistischen Universalismus?

Ich halte das für einen Kurzschluß. Unser Rechtssystem ist gewiß auf die private und öffentliche Autonomie einzelner Personen zugeschnitten, die als Träger subjektiver Rechte konzipiert sind. Aber diese Rechtspersonen müssen nicht als vereinzelte Atome vorgestellt werden, auch sie sind nur auf dem Weg der Vergesellschaftung individuiert worden. Wenn man dieser intersubjektiven Natur der Rechtsperson Rechnung trägt, dann muß es auch Rechte auf kulturelle Mitgliedschaft geben. Jede Person muß als einzelne und zugleich in den kulturellen Lebenszusammenhängen respektiert werden, in denen sie ihre Identität ausgebildet hat – und gegebenenfalls nur erhalten kann. Aus diesen kulturellen Mitgliedschaftsrechten können sich, obwohl sie Individuen zugerechnet werden, weitgehende Subventionen, öffentliche Leistungen, Garantien usw. ergeben.

Frage: Die Emanzipation ist nach 1968 eine merkwürdige und unfreiwillige Allianz mit Erlebnisgesellschaft und Individualisierung eingegangen. In der durchgesetzten Moderne ist der Verbraucher der letzte Held. Hat sich die Generation der 68er über die Dialektik ihrer Aufklärung nicht ins Bild gesetzt?

Ich bin eher ein 58er und kann für die Generation der 68er nicht sprechen. Ich habe auch ein etwas komplexeres Bild von der Moderne, die wir uns als Lebensform nicht aussuchen konnten, für die es aber heute keine erkennbare Alternative gibt. Das hat auch mit Errungenschaften zu tun, die

wir über den selbstdestruktiven Zügen nicht vergessen sollten. Zum Modernisierungsschub, den die Jugendrevolte damals wenn nicht ausgelöst, so doch energisch befördert hat,
gehört ja auch ein gutes Stück politischer Zivilisierung der
alten Bundesrepublik. Wenn ich heute die weinerlichen bis
zynischen Selbstdarstellungen einiger Akteure von damals
lese, begreife ich nicht, warum sie sich von Frau Seebacher-
Brandt das Image der »abgewählten« Generation verpassen
lassen. Da sind aus dem amerikanischen SDS doch ganz
andere Typen hervorgegangen. Was mich besonders nervt,
ist der forcierte Pragmatismus derer, die wieder einmal das
Ende aller Ideologien ausrufen, nur weil sie selbst einmal
ihren eigenen Revolutionsparolen geglaubt haben. Ich bin
auch nicht für Ideologien, aber für die politische Zuspitzung von Alternativen.

*Frage: Man hat lange genug gefragt: Was ist links? Fragen
wir im Gegenzug: Was ist rechts?*

Heute differenziert sich das neokonservative Lager in
Liberale und Preußisch-Deutsch-Nationale. Wenn man die
intellektuelle Szene betrachtet, entdeckt man seit dem November 1989, daß es immer schon eine moderat rechte
Opposition gegen das Rheinbündische der Adenauerrepu-
blik gegeben hat, die aber nie so recht aus dem Schatten des
allgemeinen Antikommunismus und der von ihm erzwun-
genen Westbindung herausgetreten ist. Es ist ja kein Zufall,
daß an diesen Typus aus Anlaß des 100. Geburtstags von
Friedrich Sieburg erinnert worden ist. Auf dieser Seite ist
die Westbindung immer nur als ein politisch opportuner
Zug, nie als eine intellektuelle Anbindung der Republik an
den Westen begriffen worden. Diese Kreise haben ja schon
immer das jungkonservative Erbe eines Schmitt, Jünger,
Heidegger, Freyer, Gehlen usw. feinsinnig gepflegt; allerdings waren sie vorsichtig genug, um sich zu den politischen
Nachkriegsressentiments dieser aus dem Tritt geratenen

Rechtsintellektuellen nicht ebenso vorbehaltlos zu bekennen wie die im Abseits bleibenden Schüler vom Typus Armin Mohler oder Bernd Willms. Aber 1989 konnten sie ihre Zurückhaltung aufgeben; seitdem zelebrieren sie den Abschied von der alten Bundesrepublik und die Rückkehr zu den deutschen Kontinuitäten einer »Vormacht in der Mitte Europas« nicht weniger ungeniert als die vorpreschenden Enkel. Das deutsche Sonderbewußtsein regeneriert sich von Stunde zu Stunde. Der ganze intellektuelle Müll, den wir uns vom Hals geschafft hatten, wird wieder aufbereitet, und das mit dem avantgardistischen Gestus, für das Neue Deutschland die neuen Antworten parat zu haben.

Frage: Der Einfluß rechtsradikaler Denkzirkel bis in die Rezensentenwahl der FAZ spricht Bände. Ist das nur ein Symptom in einer ökonomischen Krise, in der die Integration über den Konsum schwächer wird?

Ich bin überzeugt, daß eine Polarisierung anhand klar definierter und gut begründeter Alternativen heute noch eine deutliche Unterstützung für die Fortsetzung der besseren Traditionen der alten Bundesrepublik ergeben würde. Aber weder die intellektuelle Linke noch gar die Linksparteien sind willens oder in der Lage, den längst fälligen Selbstverständigungsdiskurs über die Rolle der erweiterten Bundesrepublik anzuzetteln und auszufechten. Statt dessen werden die Grenzpfähle der politischen Kultur unauffällig verrückt, wird mit jeder neuen Verfassungsänderung die normative Substanz der Verfassung weiter ausgetrocknet. Die Grundsatzfrage, ob wir die Zäsur von 1945 nicht lieber zugunsten der von 1989 vergessen sollten, wird nicht offen gestellt, aber schleichend affirmativ beantwortet. Dies mit um so größerer Wahrscheinlichkeit, je mehr eine kritikunfähige Opposition eine handlungsunfähige Regierung bei allen grundsätzlichen Problemen – wie Maastricht, Immigration, Blauhelmeinsätzen oder Solidarpakt – sich kopflos durchwursteln läßt. Statt dessen müßten die klammheimlichen Phantasien von der neu-alten europäischen Großmacht Deutschland, die Historiker wie Schöllgen und Weissmann ja längst ausplaudern, auf die Agenda.

Die Hypotheken der Adenauerschen Restauration

Frage: Herr Habermas, zu den Formulierungen, die leitmotivisch bei Ihnen wiederkehren, gehört der Satz, daß Philosophen nicht (mehr) »über einen privilegierten Zugang zur Wahrheit verfügen«. Worüber verfügen sie denn?

Ich habe Vorbehalte gegen einen gewissen elitären Gestus der deutschen Mandarine. Die platonische Verachtung der »Masse« war nach Kant unter deutschen Philosophen besonders beliebt. Arnold Gehlen hat ironisch von der »Schlüsselattitüde« gesprochen. Wie viele Heidegger-Adepten wähnen immer noch, den Schlüssel zum »Ausgang aus der Moderne« in der Hand zu halten? Aber eine aus guten Gründen ernüchterte Philosophie bewegt sich heute zwischen zwei entgegengesetzten Polen. Als eine unter anderen wissenschaftlichen Disziplinen befaßt sie sich mit den rationalen Grundlagen des Handelns, Sprechens und Erkennens; dabei rekonstruiert sie ein ganz alltägliches, intuitives Gebrauchswissen, von dem wir gar nicht explizit wissen, daß wir es gebrauchen. Wegen dieser Verwandtschaft mit dem Common Sense unterhält die Philosophie auf der anderen Seite eine intime Beziehung zum Ganzen unserer vertrauten Lebenswelt. Das macht sie zur Spezialistin fürs Allgemeine; seit Sokrates gehen Philosophen auch auf den Marktplatz. Während andere Intellektuelle versuchen, den Zeitgeist zu definieren oder zu »machen«, sollten die Philosophen eher versuchen, einen sybillinischen Zeitgeist zu dechiffrieren, »ihre Zeit in Gedanken zu erfassen«, wie Hegel meinte. Aber ohne solide Wissenschaft auch keine solide Zeitdiagnose. Kant – der einzige von Zweideutigkeiten wirkliche freie Philosoph in der deutschen Tradition –

hat an die Berufung der Philosophen zu »öffentlichen Rechtslehrern« geglaubt – von öffentlichen »Weisheitslehrern« hat er nicht gesprochen. In ihrer Intellektuellenrolle sind die Philosophen bestenfalls dazu da, das Wissen der Experten zu übersetzen, es in unsere Alltagskommunikation einzubringen und für eine Präzisierung öffentlicher Diskussionen zu nutzen, beispielsweise für Diskurse über die Aufarbeitung unserer nationalen Vergangenheit, über Abtreibung, Asylrecht usw. – warum nicht?

Frage: Eines Ihrer Hauptwerke, die Theorie des kommunikativen Handelns *von 1981, zeigt ja sehr eindrucksvoll die »neue Bescheidenheit« der Philosophie. Zentral für dieses Werk ist die Verabschiedung eines materialen zugunsten eines prozeduralen Vernunftbegriffs: Die Vernunft wandert in intersubjektiv anerkannte Regeln der Verständigung zwischen Diskurs-Teilnehmern. Es bleiben Fragen. Eine sehr aktuelle: Wie ist kommunikatives Handeln möglich zwischen Subjekten, die keine gemeinsame Lebenswelt »im Rücken« haben? Was kann Ihre Theorie hinsichtlich der Probleme interkultureller Verständigung leisten?*

Nun, gerade die Diskurstheorie kann einen nützlichen Beitrag leisten zur Unterscheidung dessen, was die Philosophen das »Gerechte« und das »Gute« nennen. Unsere Gesellschaften sind pluralistisch auch in dem Sinne, daß sie die Vielfalt individueller Lebensentwürfe und die Entfaltung verschiedener religiöser Weltauffassungen und subkultureller Lebensorientierungen fördern, ja mobilisieren. Diese verschiedenen Konzeptionen des *guten* Lebens müssen aber gleichberechtigt koexistieren können. Deshalb brauchen wir Normen eines *gerechten* Zusammenlebens, die die Integrität eines jeden einzelnen im Kontext der eigenen Lebensformen sichern. Ähnliches gilt für die schwierige Kommunikation der westlichen Welt mit den anderen großen Kulturen, die aus eigenständigen Traditionen hervorgegangen sind, die auf eine eigene Weltreligion, eine eigene Zivilisation stolz sein können. Die philosophische Hermeneutik macht klar, warum die interkulturelle Verständigung nur unter Bedingungen einer vollständigen Symmetrie zustande kommen könnte. Es liegt schon im Begriff der »Verständigung«, daß beide Seiten offen sein müssen, um voneinander zu lernen. Europäer können auch von Afrikanern lernen – so schwierig es ist, solche Symmetriebedingungen zu erfüllen, wenn die asymmetrischen Austauschverhältnisse der Weltwirtschaft durch alle Lebensverhältnisse hindurchgreifen.

Frage: Geht mit dem universalistischen Anspruch, den Sie mit den Menschenrechten verbinden, nicht doch ein intoleranter Eurozentrismus einher? Sie sind offenbar von einem fundamentalen Wertekonsens zwischen den Völkern überzeugt. Aber gibt es den wirklich? Denken Sie nur einmal an die soziale Stellung der Frau im Islam und in westlichen Gesellschaften.

Heute sind alle Staaten, Kulturen und Gesellschaften durch den Weltmarkt, durch Kommunikation, Verkehr und Technologie so eng zusammengerückt, daß niemand niemandem aus dem Weg gehen kann. Wir haben gar keine Wahl: Wenn wir nicht in atomare Stammeskriege zurückfallen wollen, müssen wir uns auf einige Regeln des fairen Zusammenlebens einigen. Dazu bieten sich die Menschenrechte an, über deren Interpretation dann, z. B. auf der Wiener Menschenrechtskonferenz, gestritten wird. Diese normative Idee der gleichen Achtung für jedermann ist in Europa entstanden; daraus folgt aber nicht, daß sie bloß der borniert Ausdruck der europäischen Kultur und ihres Selbstbehauptungswillens ist. Die Menschenrechte verdanken sich auch einer Reflexivität, die uns erst instandsetzt, einen Schritt von der jeweils eigenen Tradition zurückzutreten und den anderen aus dessen eigenen Perspektiven verstehen zu lernen. Europa hat nicht nur einen Kolonialismus und Imperialismus hervorgebracht, an dem es nichts zu beschönigen gibt. Mit dem okzidentalen Rationalismus hat es auch die kognitiven Einstellungen hervorgebracht, mit dem wir uns heute selbstkritisch zum Eurozentrismus verhalten können. Das heißt natürlich nicht, daß sich Europäer und Amerikaner nicht von den Angehörigen arabischer, asiatischer oder afrikanischer Kulturen über die blinden Flecke ihrer eigentümlich selektiven Lesarten der Menschenrechte aufklären lassen müßten. Das halte ich für möglich, weil die verschiedenen Moralvorstellungen letztlich auf gemeinsame Erfahrungen der verletzten Integrität und der vorenthaltenen Anerkennung zurückgehen – also auf sehr elementare, in jeder halbwegs normalen Familie verbreitete Umgangserfahrungen. Wenn sich dann die Stellung der Frauen im Islam in ähnlicher Weise ändern würde wie in der westlichen Welt, weil sich die Frauen selbst emanzipieren wollen – was wäre so schlecht daran?

Frage: Die Theorie des kommunikativen Handelns *bricht an einem entscheidenden Punkt mit der marxistischen Tradition: Sie gibt die Fixierung auf die Kategorie der Arbeit als Inbegriff gesellschaftlichen Handelns auf. Wie würden Sie heute noch die marxistischen Anteile Ihres Denkens einschätzen?*

Wenn man von der Warte des deutschen Idealismus aus auf das 19. Jahrhundert blickt, hat Marx zusammen mit Darwin, Nietzsche und Freud die großen Ernüchterungsschübe eingeleitet. Marx gehört neben Kierkegaard und dem amerikanischen Pragmatisten Peirce überhaupt zu den entscheidenden Figuren, die die Weichen für die Philosophie nach Hegel, eben für uns alle heute, gestellt haben. Von Marx kann man sich insbesondere in einen perspektivischen Blickwinkel einüben lassen, aus dem die Moderne alles Flächige, bloß Lineare verliert und sich sozusagen stereoskopisch zeigt, als eine zerklüftete Gestalt: Man darf nicht nur in den Spiegel der Moderne schauen, sondern muß auch dessen barbarische Rückseite wahrnehmen. Über der Entlarvung von Kapitalismus und bürgerlicher Ideologie hat allerdings Marx niemals den Bezugspunkt dieser Kritik aus den Augen verloren, nämlich das normative Selbstverständnis bürgerlicher Gesellschaften, wie es sich in den emanzipatorischen Gedanken von Selbstbewußtsein, Selbstbestimmung und Selbstverwirklichung ausdrückt. Marx war kein »Postmoderner«. Gewiß sind die theoretischen Grundlagen der Marxschen Kapitalismuskritik überholt. Aber eine kalte Analyse der zugleich befreienden und entwurzelnden, der produktiven und destruktiven Auswirkungen unserer ökonomischen Organisation auf die Lebenswelt haben wir doch heute nötiger denn je. Heute sollen die sozialen Errungenschaften von über hundert Jahren europäischer Arbeiterbewegung zur Disposition gestellt werden, um die einheimischen Arbeitsplätze an das Kostenniveau der Niedriglohnländer anzupassen. Ungeniert empfiehlt sich eine regierende Partei als Partei der »Leistungsstarken« und der »Besserverdienenden«: So viel Sozialdarwinismus hatten wir noch nie seit 1945.

Frage: Sie gelten gemeinhin als der jüngere Exponent der ehrwürdigen Frankfurter Schule. Sehen Sie sich auch selbst so, oder halten Sie dieses ganze Schulen-Konstrukt für abwegig?

Ich bin durch meine Assistentenzeit bei Adorno tief geprägt worden und stehe in der Tradition der alten Frankfurter. Aber Traditionen bleiben nur so lange lebendig, wie sie produktiv fortgeführt, eben auch verändert werden. Das Anregungspotential dessen, was man erst »Frankfurter Schule« nannte, als es sie schon nicht mehr gab, ist in verschiedene Richtungen entfaltet worden. Ein einzelner kann nicht repräsentativ sein für alle diese Fortsetzungen.

Frage: Ihre intellektuelle Biographie ist – vom Positivismus- bis zum Historikerstreit – mit Kontroversen »gespickt«. Welche Rolle spielen diese Debatten für Sie?

Ich hoffe, daß ich von meinen Opponenten auch etwas gelernt habe.

Frage: Ihr jüngstes Werk ist eine Rechtsphilosophie. Kritiker von Faktizität und Geltung *haben teils überrascht, teils hämisch bemerkt, wie »staatstragend« das Buch geraten sei. Ist diese Einschätzung richtig, ist Jürgen Habermas tatsächlich »konservativ« geworden?*

Andere Kritiker haben gesagt, das sei das »utopischste« Buch, das ich je geschrieben hätte. »Konservativ« bin ich nur im Hinblick auf die nach 1989 öffentlich in Frage gestellten »besseren« Traditionen der alten Bundesrepublik. In meinen theoretischen Arbeiten ist der kritische Impuls doch ganz ungebrochen. So habe ich die Rechtsphilosophie geschrieben, um den Konservativen, auch unseren verdammt staatstragenden Juristen klarzumachen, daß der Rechtsstaat ohne radikale Demokratie nicht zu haben und nicht zu erhalten ist.

Frage: Sie haben ja immer wieder betont, daß Sie die vorbehaltlose Öffnung zu westlichen Traditionen für eine der zentralen kulturellen Errungenschaften der (west-) deutschen Nachkriegsgeschichte halten. Dieses Bekenntnis hat Dahrendorf veranlaßt, Sie als den wahren »Enkel Adenauers« zu bezeichnen. Wird Ihnen dabei nicht unwohl?

Rückblickend sehe ich die wirkliche Bedeutung der von Adenauer *außenpolitisch* betriebenen Westbindung der Bundesrepublik klarer als damals. In den fünfziger Jahren war ich empört über die verheerenden moralischen Hypotheken der Adenauerschen Restauration im Inneren, über die zynische Unempfindlichkeit gegenüber allen Belastungen, denen Adenauer unsere politische Kultur bedenkenlos ausgesetzt hat. Damals hat ein Elitenwechsel der Art, wie er heute in der ehemaligen DDR mit großem Eifer betrieben wird, nicht stattgefunden. Im Klima der Sieburgschen Gartenzwerge kam es gerade nicht zu dem für die geistige Hygiene des Lands notwendigen kulturellen Bruch mit jenen Mentalitäten, die vom Wilhelminismus durch die Weimarer und die Nazi-Zeit hindurch bis in den Anfang der sechziger Jahre hineinreichten. Die kulturelle Öffnung nach Westen mußte gegen den Mief der Adenauer-Periode mühsam genug durchgesetzt werden. Entgegen der absichtsvollen Gleichsetzung von kultureller und politischer Westorientierung ist es heute wichtig, die »Westbindung« der Bundesrepublik nicht als clevere außenpolitische Weichenstellung zu begreifen, sondern als eine Absage an falsche Kontinuitäten unserer politischen Kultur. Ob das unsere Denkungsart wirklich revolutioniert hat, muß sich erst noch zeigen. Es ist ja nicht nur Ernst Nolte, der Mussolini als bedeutenden avantgardistischen Staatsmann wiederentdeckt. Auch das Feuilleton der *FAZ* verbreitet beifällig die Meinung eines ehemaligen Intellektuellen der kommunistischen Partei Italiens, wonach »die große Kultur des 20. Jahrhunderts im wesentlichen eine rechte Kultur gewesen ist: von Heidegger bis Jünger, von Céline bis Pound, von Eliot bis Yeats und, warum nicht, Gentile«. Man wird sehen, ob nach den postmodernen Lockerungsübungen der neu-rechte Mythos von Deutschland als dem Land der Mitte, das sich dem »Zangengriff« des Amerikanismus entwindet, wieder Resonanz findet.

Frage: Sie haben den »Verfassungspatriotismus« als die – im Gegensatz zu einem konventionellen Nationalbewußtsein – einzig noch zuträgliche Basis einer kollektiven Identität der Deutschen bezeichnet. Nun enthält der Begriff Bestandteile, die tendenziell auseinanderlaufen. Die Verfassung der Bundesrepublik ist in ihrem Kern ja die gleiche wie die der westeuropäischen Nachbarländer, kann also keinen

*»Patriotismus« begründen. Können Sie diesen Widerspruch
auflösen?*

Das Nationalbewußtsein hat sich in Deutschland zu Anfang des 19. Jahrhunderts im Kampf gegen Napoleon, also gegen einen *äußeren* Feind, herausgebildet, während es in Frankreich aus einer demokratischen Revolution gegen den *eigenen* König entstanden ist. Außerdem mußten sich damals die nationalen Hoffnungen der deutschen Bildungsbürger, gegen die Realität der Kleinstaaterei, an eine imaginäre Größe wie die in Tradition und Sprache verwurzelte »Kulturnation« heften. Vor diesem historischen Hintergrund versteht man den skurrilen Umstand besser, daß noch im Grundgesetz ein ethnischer Begriff von Nation fortlebt. Die Carl Schmittschen Vorstellungen von der »Homogenität« des Staatsvolks werden aber spätestens heute zur Fiktion. Bei Licht betrachtet, waren sie immer schon Fiktion. Wir müssen uns deshalb endlich auch als eine Nation nicht von Volksgenossen, sondern von Staatsbürgern verstehen lernen. In der Vielfalt ihrer verschiedenen kulturellen Lebensformen können sich diese Bürger allein auf die Verfassung als die allen gemeinsame Basis verlassen. Gewiß haben die Prinzipien der Verfassung, wie Sie sagen, einen universalistischen Gehalt, der nicht nur für Deutsche verbindlich ist. Gegenüber einer solchen abstrakten Ordnung wird sich deshalb eine in Motiven und Gesinnungen verankerte Loyalität nur dann auf Dauer einstellen, wenn wir lernen, den demokratischen Rechtsstaat aus dem Zusammenhang unserer – auch von Katastrophen gezeichneten – nationalen Geschichte als eine *Errungenschaft* zu begreifen. Erst am 8. Mai 1985, 40 Jahre nach Kriegsende, hat ein Bundespräsident die Niederlage des NS-Regimes aus diesem geschichtlichen Zusammenhang als eine Befreiung von der Diktatur begriffen. So betrachten wir heute auch den D-Day als eine Zäsur, die für uns Deutsche keine wesentlich andere Bedeutung hat als für die Alliierten. Verfassungspatriotische Bindungen brauchen ein historisches Selbstverständnis der Nation, das eine liberale politische Kultur tragen kann.

Die Linke in der Bundesrepublik scheint in keiner beneidenswerten Verfassung zu sein. Sie ist defensiv, hat sich mit den Folgen von 1989 herumzuschlagen und wird von Absetzbewegungen heimgesucht. Ich erwähne Walser, Botho Strauß, Enzensberger und Biermann. Wie sehen Sie ihre Lage und Zukunft?

Die Linke besetzt ja die Zukunft keineswegs immer mit positiven Erwartungen, denken Sie an Adornos Negativismus. Aber selbst wenn sie pessimistisch ist und nur noch dramatische oder dramatisierte Gefahren abwehren möchte, handelt sie zukunftsorientiert. Daher ist sie für Enttäuschungen besonders anfällig. Die klassische Figur des Renegaten, der seine Enttäuschungen nicht anders als durch Konversion verarbeiten kann, ist nur das Spiegelbild des Orthodoxen, der sich gegen dissonante Erfahrungen dogmatisch abschirmt. Wie die borniert Uneinsichtigkeit eines Heidegger oder Carl Schmitt zur Psychopathologie der Rechten, so gehört ein Bekenntniszwang zur Psychologie der Linken. Ich will das nicht auf die von Ihnen Genannten anwenden. Die kleinmütigen Reaktionen von ehemaligen Linken auf den Zerfall des Sowjetimperiums verrät ja nur die Blindheit, die diese Leute gegenüber der Realität des Staatssozialismus gehegt hatten. Das war aber keineswegs typisch für die bundesrepublikanische Linke, die vis à vis der DDR gelebt hat und schon auf eine ganz triviale Weise daran gehindert wurde, sich Illusionen zu machen. Was die Linke auch heute noch vor der Rechten auszeichnet, ist ein offensiver Umgang mit den Ambivalenzen von zwiespältigen Modernisierungsprozessen, die uns weder ins Resignative noch ins Reaktionäre treiben dürfen.

Frage: Sie haben den Begriff »Sozialismus« in letzter Zeit wiederholt im Sinn von »radikaler Demokratie« interpretiert. Geht damit nicht eine terminologische Aufweichung einher, die letztlich in jene sprichwörtliche Nacht führt, in der alle Katzen grau sind?

Moderne Gesellschaften werden durch Geld, administrative Macht und Solidarität zusammengehalten; dabei ist Solidarität vielleicht ein zu großes Wort fürs kommunikative Alltagshandeln, für die Routinen der Verständigung, für die stillschweigende Orientierung an Werten und Normen, für mehr oder weniger diskursive Auseinandersetzungen in der Öffentlichkeit. Der Sozialismus hat seine Hoffnungen immer auf diese dritte Quelle der gesellschaftlichen Integration gesetzt. Mit dem Sowjetimperium ist ein bürokratischer Sozialismus untergegangen, den wir auch deshalb so nennen, weil er von der falschen Prämisse ausgegangen ist, daß man mit Hilfe staatlicher Macht gewaltsam solidarische Lebensverhältnisse herstellen könne. Wenn ich auf dem radikalen Sinn unserer demokratischen Verfassung insistiere, wenn ich an die Unterstellung einer Assoziation von freien und gleichen Rechtsgenossen erinnere, die ihr Zusammenleben nach selbstgewählten Normen regeln, dann lenke ich wiederum den Blick auf jene dritte Ressource, die auch in unseren Gesellschaften gefährdet ist – auf eine in rechtlichen Strukturen aufbewahrte Solidarität, die sich aus halbwegs intakten lebensweltlichen Zusammenhängen regenerieren muß. Auch meine theoretischen Arbeiten haben als Fluchtpunkt den Imperativ, menschenwürdige Verhältnisse zu schaffen, in denen sich eine erträgliche Balance zwischen Geld, Macht und Solidarität einspielen kann.

4. Das Bedürfnis
nach deutschen Kontinuitäten

Brief an Christa Wolf

Liebe Christa Wolf,

ich bin Ihnen für Ihre Einladung zur Akademieveranstaltung am vergangenen Donnerstag dankbar. Der nachdenkliche Beitrag von Jens Reich und das weitgestreute Spektrum der Beiträge aus einer prominenten Runde waren instruktiv für die Stimmungen und Konflikte derer, die am aktivsten zur Wende in der DDR beigetragen haben. Als Besucher aus dem Westen fühlte man sich freilich ein bißchen wie der Zuschauer, der von der Loge aus auf bewegte Bühnenszenen blickt. Berührt hat mich die anhaltende Diskussion über die »Stunde Null«. An diesem Stichwort, das aus dem Publikum dem Redner in den Mund gelegt wurde und nicht ganz dem Tenor seiner Rede entsprach, haben sich merkwürdigerweise die Geister entzündet.

Die Empfindung, das alte Gepäck abgeworfen zu haben und nun an einem neuen Anfang zu stehen, kann ich gut nachvollziehen. Die Intellektuellen in Ostdeutschland haben zu Recht das Gefühl, in ein exzeptionelles Geschehen verwickelt worden zu sein und nicht ganz alltägliche Erfahrungen gemacht zu haben. Sie werden so sehr in den Sog akzelerierter Lebensgeschichten hereingezogen, daß wir auf die produktive Verarbeitung dieser Konfrontation gespannt sein können – vor allem bei den Jüngeren, deren Membrane noch ganz geöffnet sind. Auch unsere Generation, liebe Frau Wolf, hat sich ja an jenen Jahren vor und nach 1945 abgearbeitet – sie gaben genug Stoff für ein ganzes Leben. Andererseits hatte die Rede von der »Stunde Null« auch etwas Unglaubwürdiges. Mit der Entscheidung für unsere Währungs- und Privatrechtsordnung hat ja die DDR-Bevölkerung einen »Beitritt« nicht nur im verfassungsrechtlichen Sinne praktiziert. Der Modus der Vereinigung könnte nicht besser als durch das ungleiche Zwillingspaar Schäuble/ Krause symbolisiert werden; und mit dem, was diese beiden ausgeheckt haben, sind doch die Weichen so gestellt worden, daß den Beitrittswilligen nicht viel mehr als Anpassung und Unterwerfung, jedenfalls kein politischer Handlungsspielraum mehr geblieben ist. Das Bild einer überstürzten Selbstpreisgabe, das so entstand, ist wohl nicht ganz falsch.

Wenn aber ein neuer Anfang so leicht nicht zu machen sein wird, ist die Verständigung, ist eine Kooperation zwischen denen, die weder im Osten noch im Westen in den Spuren des Mainstream laufen, um so dringlicher. Mein Wunsch entspringt weniger einem Koalitionsbedürfnis – daß die linken Intellektuellen hier wie dort von den rechten denunziert werden, wird auch Ihnen bald zur lieben Gewohnheit werden. Zusammenfinden müssen wir uns aber angesichts jener regressiven Tendenzen, die Friedrich Schorlemmer in seinem klaren und entschiedenen Votum beim Namen genannt hat. Auch wenn das SED-Regime mit seinen durchgescheuerten Propagandaformeln vierzig Jahre lang den Rechtsradikalismus als äußere Gefahr beschworen hat – es hat ja diese Gefahren unter den eigenen Fittichen selbst ausgebrütet. Etwas von den Mentalitäten der dreißiger und vierziger Jahre scheint konserviert worden zu sein. Jedenfalls ist nach der Vereinigung eine kritische Masse von Ressentiments entstanden, die auch die Mentalitäten im Westen verändert hat. Wie in den dreißiger Jahren spiegeln diese deutschen Regressionen natürlich auch Verschiebungen des internationalen Milieus – ich meine sowohl die täglich stärker werdenden »nationalen Fronten« in beinahe allen westlichen Ländern wie jene Gespenster, die in den mittel- und osteuropäischen Ländern aus den Grüften des

19. Jahrhunderts aufsteigen. Aber im nachfaschistischen Deutschland bedeutet dasselbe eben nicht dasselbe.

In der alten Bundesrepublik besteht das Neue der Situation vor allem darin, daß sich die bisher getrennten Elemente des rechtsextremen Lagers zu einer explosiven Mischung verbinden: Nationaldemokraten und Republikaner vereinigen sich zum ersten Mal mit einer gewaltbereiten Jugendszene von Skinheads und Hooligans, und um beide rankt sich ein weitverzweigtes publizistisches Netzwerk von Rechtsintellektuellen, in das sich auch immer mehr Konservative immer unbefangener einfädeln. Schon während des letzten Jahrzehnts sind die Ränder ausgefranst: Die Liberalkonservativen scheinen ihre Berührungsscheu gegenüber Rechtsradikalismus und Deutschtümelei verloren zu haben. Überhaupt hat der Geist hierzulande wieder einmal einen Ruck getan: Die Liberalen werden nationalliberal, die Jungkonservativen deutsch-militant. Was im Historikerstreit noch eine kontroverse Frage war, ist nun längst entschieden: von den »beiden Diktaturen« darf fortan *undifferenziert* die Rede sein. Man kann beinahe schon froh sein, wenn das Regime, das den industriellen Massenmord rassistisch begründet hat, mit dem Stalinismus wenigstens in einem Atem genannt wird. Die feinsinnigeren Geister sind nämlich längst mit anderen Differenzierungen beschäftigt, die uns die vergleichsweise humanen und zivilisierten Züge des NS klar machen sollen. »Auschwitz in unseren Seelen« – der inflationäre Gebrauch einer einstmals peinlich gemiedenen Vokabel gehört zu diesen Abräumungsarbeiten.

Wenn trotz der spezifischen Erfahrungen und der Impulse zur Erneuerung, die uns die ostdeutschen Intellektuellen voraus haben mögen, Chancen für einen *neuen* Anfang in der Bundesrepublik wohl nur im umgekehrten Richtungssinn bestehen, sollten wir nicht unterschätzen, was wir gewonnen hätten, wenn sich die mentale Verfassung der neuen Republik nicht allzusehr nach rechts hinten verschöbe. Wir hier sind auf die liberalen und linken Intellektuellen in der ehemaligen DDR angewiesen, wenn das Netz einer halbwegs zivilen politischen Kultur unter den neuen Belastungen nicht reißen soll. Damit meine ich keineswegs die berüchtigten »Kosten der Einheit«, sondern Probleme, die eher von außen auf uns zukommen und die sozialen Verwerfungen im Inneren verschärfen. Wenn wir auf diese Probleme falsch reagieren, könnte die in den Nachkriegsjahrzehnten mühsam errungene innere Verfassung der Bundesrepublik folgenreich beschädigt werden.

Das eine dieser Probleme – die von der Ersten Welt mitverursachte und so oder so unabwendbare Wirtschaftsimmigration aus dem Süden (und nun auch aus dem Osten) – dient heute als Lackmustest für unsere Reaktionen von morgen. Sind wir dabei, den sozialstaatlichen Kompromiß aufzukündigen? Haben wir uns schon damit abgefunden, mit einer underclass von 20 bis 30 Prozent zu leben? Wird sich eine wohlstandschauvinistische Mehrheit nach außen verhärten und im Inneren repressiv sein? Spätestens seit Reagan kann man in den großen Städten der USA beobachten, wie die ›ins‹ nur noch mit einem neurotischen Abwehrsystem gegen die Wahrnehmung der ›outs‹ leben können. Werden wir ebenfalls die Augen verschließen vor einer strukturellen Minderheit von Ohnmächtigen, denen nur noch selbstdestruktive Mittel des Protests bleiben – ohne die Chance, ihre Situation aus eigener Kraft zu ändern? Akzeptieren wir ein Muster von Segmentierung, das der pure Hohn ist auf alle bisher in den Traditionen der Aufklärung und der Arbeiterbewegung selbstverständlichen Vorstellungen von sozialer Gerechtigkeit? Diese Fragen werden unter strapaziöser werdenden Umständen keine vernünftige Antwort finden, wenn sich auch in der Bundesrepublik ein Rechtspopulismus breitmacht, an den sich die SPD ebenso wie die CDU anpaßt, während die FDP auf ihre Prinzipien pfeift und unsere »grüne FDP« nur noch die Mentalität linker Renegaten pflegt. Die alten anti-kommunistischen Feindbilder, über die bisher die kollektive Identität in Krisenzeiten immer mal wieder stabilisiert worden ist, sind zerbrochen – aber die neuen Feindbilder stammen aus dem alten Repertoire. Die feinsinnigen Konstruktionen, an denen in den westdeutschen Feuilletons die Enkel ihrer neokonservativen Großväter basteln, sind bereits ein erstes fernes Echo der Rabaukenparolen unter den Reichskriegsfahnen der Schlachtenbummler.

Diese pessimistische Diagnose hatte mich veranlaßt, auf eine Konsequenz der staatlichen Vereinigung hinzuweisen, die bei Ostintellektuellen zu meinem Erstaunen auf völliges Unverständnis gestoßen ist. In dem Interviewbändchen, das ich Ihnen seinerzeit geschickt habe (*Vergangenheit als Zukunft*, Pendo-Verlag, Zürich, S. 50f.) hatte ich gesagt, daß die Entwertung unserer besten und schwächsten intellektuellen Traditionen für mich einer der bösesten Aspekte an dem Erbe sei, welches die DDR in die erweiterte Bundesrepublik einbringt. Der Kontext, in dem das stand, war eindeutig: »Dieser ›Arbeiter- und Bauernstaat‹ hat mit seiner politischen Rhetorik fortschrittliche Ideen zu seiner Legitimation mißbraucht; er hat sie durch eine unmenschliche Praxis höhnisch dementiert und dadurch in Mißkredit gebracht. Ich fürchte, daß diese Dialektik der Entwertung für die geistige Hygiene in Deutschland ruinöser sein wird als das geballte Ressentiment von fünf, sechs Generationen gegenaufklärerischer, antisemitischer, falsch romantischer, deutschtümelnder Obskurantisten.« Auf diesen Satz haben Richard Schröder und Friedrich Dieckmann geradezu wütend reagiert. Warum eigentlich?

Sollte das Mißverständnis, das hier vorliegen muß, mit einer Interpretation zu tun haben, die in Ihren Diskussionen am vergangenen Donnerstag nur angeklungen ist, aber in den »Thesen für eine Vereinigte Akademie der Künste Berlin-Brandenburg« einen präzisen Ausdruck gefunden hat? In dem Papier, das Sie mir beim Abschied gaben, heißt es:

»Nicht nur im Osten, *auch im Westen* des durch rigorose Abschirmung getrennten und in sich selbst zerrissenen Deutschlands hat es Anpassungen an die Mentalität und Kultur der *in beiden Teilstaaten* jeweils dominierenden Weltmächte gegeben, Anpassungen, die Spuren hinterlassen haben und die zu einer Differenz der Identitäten von Ostdeutschen und Westdeutschen geführt haben. Jahrzehntelange Existenz an einer Grenze, die das eigene Land teilt und die Hälften mit äußerster Intensität gegeneinanderstellt, beengt das Denken *auf beiden Seiten*. Die deutsche Zweistaatlichkeit hat sich in beiden Bevölkerungsteilen nach innen ausgewirkt, sie hat eine östliche und eine *westliche* intellektuelle und emotionale Befangenheit erzeugt, eine Befangenheit, die unter anderem auch dazu geführt hat, daß sich *beide* in verschiedener Weise vom Traditionspotential der vorgängigen einheitlichen deutschen Kultur entfernt haben.«

Meine Unterstreichungen markieren meine Zweifel: ich glaube, daß mit dieser merkwürdigen Konvergenzthese eine falsche Symmetrie hergestellt wird. Natürlich wird diese These auch im Westen vertreten; aber sie wird auch nicht dadurch wahrer, daß prominente Freunde wie Martin Walser und Dieter Henrich Ihre Auffassung teilen. Über die intellektuellen Biographien im Osten Deutschlands kann ich nicht urteilen; und ob Sie Ihre eigene literarische Produktion für »befangen« halten, muß ich Ihnen überlassen. Die Einschätzung jedoch, daß sich unsere Biographien hier im Westen unter deformierenden Einschränkungen der erwähnten Art vollzogen haben, halte ich für falsch – und zwar auf eine *gefährliche* Weise falsch, weil sie die verheerende Konsequenz nahegelegt, wir sollten nun wieder zu den geistigen Kontinuitäten zurückkehren, gegen die wir uns – mühsam genug und gegen das herrschende Klima – zum ersten Mal in der jüngeren deutschen Geschichte mit Erfolg zur Wehr gesetzt hatten. Ich wäre erstaunt, wenn es zwischen uns einen Dissens darüber geben sollte, welche Traditionen wir fortsetzen wollen – und welche nicht. Verstehen Sie bitte die folgenden Bemerkungen als einen Versuch, uns dieses Konsenses zu vergewissern. Ich habe die nach 1945 möglich gewordene intellektuelle Öffnung gegenüber den Traditionen des Westens immer für etwas Befreiendes gehalten. Der eine mag die Teilung der Nation als bedrückender empfunden haben als der andere; ich entdecke aber an dem, was westdeutsche Intellektuelle in der Nachkriegszeit produziert haben, keine Beschädigungen – jedenfalls nicht die von Ihnen diagnostizierten Züge, die darauf schließen ließen, daß irgend einer von uns sich von bewahrenswerten Impulsen der eigenen geistigen Existenz hätte abgeschnürt fühlen müssen.

Bitte mißverstehen Sie mich nicht. Wenn ich in dieser Hinsicht auf Unterscheidungen beharre, möchte ich keineswegs für eine Seite ein *Verdienst* reklamieren, das ich der anderen Seite abspreche. Wir beide gehören demselben Jahrgang an und wir teilen dieselben »Kindheitsmuster«. Aus diesem Grunde teilen wir auch die Grundeinstellungen, die uns beide, wenn ich recht sehe, in gleicher Weise dazu motiviert haben, nicht nur mit dem politischen Erbe des NS-Regimes zu brechen, sondern auch mit den tiefer reichenden intellektuellen Wurzeln des akklamierenden deutschen Mandarinentums und seines verwaschenen deutschen Geistes. Ich kann mir gut vorstellen, und darüber denke ich seit dem November 1989 nach, daß ich mich nach 1945, wenn ich nicht zufällig im Rheinland aufgewachsen wäre und mich statt dessen jenseits der Elbe vorgefunden hätte, mit dem Antifaschismus der zurückgekehrten Kommunisten sogar identifiziert hätte, Parteimitglied geworden wäre und eine Karriere begonnen hätte, von der, weil es sich um eine kontrafaktische Überlegung handelt, heute niemand sagen kann, wann und wo sie geendet hätte. Schließlich bin ich aus solchen Motiven selbst im Adenauer-Deutschland, was nicht das übliche gewesen ist, zu einem Sozialisten geworden, der mit dem frühen Lukács den westlichen Marxismus entdeckt hat und aus eigener Entscheidung Assistent von Adorno geworden ist. Ich habe auch nicht gezögert, mich bei Wolfgang Abendroth zu habilitieren. Über alles das kann man skrupulös Rechenschaft ablegen und doch – ohne die geringste Implikation von Überheblichkeit – feststellen, daß wir im Westen unter Verhältnissen gelebt haben, die auch im intellektuellen Bereich eine keineswegs erzwungene oder auch nur einschränkende, sondern als Emanzipation erfahrene Orientierung nach Westen ermöglicht haben.

Diese Westorientierung hat keine Verkrümmung der deutschen Seele bedeutet, sondern die Einübung in den aufrechten Gang. Die vorbehaltlose Aneignung von aufklärerischen Traditionen auf ganzer Breite hat ja nicht nur, wenn ich mich als Beispiel nehmen darf, den amerikanischen Pragmatismus von Peirce bis Dewey, das Vernunftrecht des 17. und 18. Jahrhunderts bis zu Rawls und Dworkin, die analytische Philosophie, den französischen Positivismus, die sozialwissenschaftliche Denkweise der Franzosen und Amerikaner von Durkheim bis Parsons eingeschlossen; sie hat sich auch auf das erstreckt, was in der nun wahrhaft verkrümmten deutschen Tradition bis dahin unterdrückt oder marginalisiert worden war: auf Kant als Exponenten und nicht als sogenannten Überwinder der Aufklärung, auf Hegel als radikalen Interpreten und nicht als Gegner der Französischen Revolution, auf Marx und den westlichen Marxismus, Freud und die Freudsche Linke, den

Wiener Kreis, Wittgenstein usw. In diesem Prozeß waren für uns die aus dem Westen zurückkehrenden Emigranten von größerer Bedeutung als das verquaste Eigene, das sich durch die NS-Zeit hindurch erhalten hatte.

Ich erinnere mich in diesem Zusammenhang an die Worte, die mein Freund Albrecht Wellmer vor einigen Jahren während einer Tagung über die Kritische Theorie gefunden hat. Sie machen klar, daß die spontane Zuwendung zu den Traditionen des Westens damals, in den fünfziger Jahren, überhaupt erst den Zugang zu den nicht-korrumpierten Bestandteilen der eigenen Tradition geebnet hat. Mit Figuren wie Heidegger, Jünger oder Carl Schmitt hätte das nicht gelingen können. Man muß erst einmal die kulturfeindlichen Elemente der deutschen Tradition erkannt haben, um auch deren universalistische, aufklärerische und subversive Züge sehen zu lernen. Wellmer erklärt die katalysatorische Rolle der aus dem amerikanischen Exil zurückgekehrten Frankfurter damit, daß sie »einen radikalen Bruch mit dem Faschismus ohne einen ebenso radikalen Bruch mit der deutschen kulturellen Tradition, und das heißt einen radikalen Bruch mit der eigenen kulturellen Identität, denk-möglich machten. Ich glaube, daß die ungeheure, eben nicht nur destruktiv-kritische, sondern vor allem befreiende Wirkung Adornos und Horkheimers nicht zuletzt aus dieser einzigartigen Konstellation zu erklären ist. Es war vor allem Adorno, der in seiner überaus reichen Produktion nach dem Krieg den Schutt wegräumte, unter dem die deutsche Kultur verborgen lag, und der sie wieder sichtbar werden ließ. Er tat dies als ein Mann der städtischen Zivilisation, der gegen die Versuchungen des Archaischen gefeit war und doch den romantischen Impuls in sich bewahrte; dem der Universalismus der Moderne selbstverständlich war und der doch die Spuren der Verstümmelung in den existierenden Formen des Humanismus nicht übersah: seltener Fall eines Philosophen, der zugleich ganz der Moderne angehörte *und* der deutschen Tradition.«

Lukács hat gewiß mit dem Holzhammer philosophiert, als er 1955 den »Weg des Irrationalismus von Schelling zu Hitler« nachzeichnete. Aber selbst dieses klobige Vorgehen konnte das Wahrheitsmoment, das schon der Titel des Buches – *Die Zerstörung der Vernunft* – signalisiert, nicht zuschütten. Würde nicht das Ergebnis dieses Akts einer reinigenden Selbstreflexion wieder verspielt, wenn sich heute jene Mischung aus dumpfen und tiefen Gedanken regenerierte, mit der wir uns lange genug auseinandersetzen mußten? Das Vorurteil, daß wir uns an die Mentalität der Siegermacht bloß angepaßt hätten, daß wir bis heute »intellektuell und emotional befangen« seien, verbreiten *bei uns* vor allem Leute wie Syberberg und Bergfleth. Sie wollen uns wieder in den deutschen Sumpf eintunken.

Mir ist klar, daß Ihnen und Ihren Freunden nichts ferner liegen kann als das. Die Umbruchsituation, in der Sie stehen, bringt besondere Verletzbarkeiten mit sich. Das macht die Verständigung komplizierter und verlangt gewiß mehr als die übliche Sensibilität im Umgang miteinander. Ich sehe auch das entlastende Moment, das die Bezugnahme auf gemeinsame Schicksale enthält. Aber die Zustimmung zu vorschnell beschworenen Symmetrien entspringt einer falschen Rücksichtnahme, die nur zu neuen Illusionen führt. Ich plädiere deshalb dafür, daß jede Seite ihre eigene intellektuelle Nachkriegsgeschichte aufarbeitet und sich vor Übergeneralisierungen eigener Erfahrungen hütet. Wenn wir einen deutschen Eintopf suggerieren, kann leicht passieren, was wir beide nicht wollen können: daß die Geschichte der DDR unter den Teppich einer westdeutschen Siegergeschichte gekehrt wird. In unseren Zeitungen lese ich Artikel mit dem Tenor, die Geschichte der DDR möge doch als Teil eines gemeinsamen deutschen Schicksals begriffen werden.

Aber das trifft nicht einmal auf unsere Generation zu – um wieviel weniger erst auf die jüngeren Generationen, die heute die große Mehrheit unserer Bevölkerung ausmachen. Wir hier haben eben nicht unter dem Stalinismus gelebt und kennen auch nicht die komplexen Lebensverhältnisse einer poststalinistischen Gesellschaft. Es ist niemandem geholfen, wenn wir uns diesen Schuh anziehen oder auch nur so tun, als handele es sich bei unseren getrennt verlaufenen Nachkriegsgeschichten um dasselbe *Paar* Schuhe. In unserer vertrackten Situation hilft, wie auch sonst, nur ein differenzierendes Beobachten und Denken.

Aus diesem Grund bewundere ich Ihre Initiative, im Rahmen der Akademie der Künste auf kleinem Raum für die fehlende *eigene* Öffentlichkeit wenigstens ein Substitut zu schaffen. Der ehemaligen DDR ist, und dies nicht erst seit *Super-Illu* und Mühlfenzl, die Chance vorenthalten worden, auf den Foren einer eigenen Öffentlichkeit den eigenen Selbstverständigungsdiskurs in Gang zu bringen. Jetzt ziehen die westlichen Redaktionen an den Drähten, übertönen die westlichen Stimmen die aus dem Osten. Wenigstens die Intellektuellen sollten sich im Bewußtsein der bestehenden Distanzen, und über diese hinweg, miteinander verständigen. Mit dem gut gemeinten, aber kurzschlüssigen Appell an vermeintliche Gemeinsamkeiten folgen wir doch nur einem Zug, für den andere die Weichen gestellt haben, ratifizieren wir auch noch die Fehler des Schäuble/Krauseschen Anschluß- und Unterwerfungsszenarios.

In der aufrichtigen Hoffnung, daß wir bald die Gelegenheit finden und Sie mir die Gelegenheit geben, unser Gespräch face to face fortzusetzen, bin ich

mit Dank und herzlichen Grüßen
Ihr
Jürgen Habermas

Carl Schmitt in der politischen
Geistesgeschichte der Bundesrepublik

Seit dem Tode Carl Schmitts im Jahr 1985 häufen sich die
Publikationen zu Werk und Leben dieses einflußreichen
Denkers – neben den nationalistischen Aktualisierungen
der gesinnungstreuen Schüler die üblichen Spezialstudien
der Wissenschaftler, auch biedere, um Objektivität be-
mühte Biographien. Vorbereitet durch die »postmoderne«
Rezeption der achtziger Jahre, hat Carl Schmitt seit 1989
erst recht Konjunktur: Nachholbedarf im Osten, freie Bahn
im Westen für die Einstiegsdroge in den Traum vom starken Staat und von der homogenen Nation. Die *Nouvelle
Droite* wußte es schon länger: Mit Carl Schmitt läßt sich
den Themen »Innere Sicherheit«, »Überfremdung« oder
»Durchrassung« ein gewisser intellektueller Glanz verleihen. In den Büchern der revisionistischen Zeithistoriker,
die bei Ullstein vom Fließband gehen, spiegelt sich die
Virulenz von Carl Schmitts und Martin Heideggers Zeit-
deutungen – auch jener aparten Mischung von Schmitt und
Heidegger, aus der die Geschichtsphilosophie Ernst Noltes
ihre Inspiration zieht.

Beide, der Staatsrechtler und der Philosoph, die schon
in der Weimarer Zeit eine verdiente Reputation erworben
hatten, gehören unter Aspekten der Wirkungsgeschichte
zusammen. Obwohl sie durch ihre spektakuläre Partei-
nahme für die Nazis diskreditiert waren und obwohl sie
ihre produktivste Phase 1949 hinter sich hatten, haben
Schmitt und Heidegger auf das politische und geistige Milieu der Bundesrepublik einen intellektuellen Einfluß ausgeübt, für den es keine vergleichbaren Beispiele gibt. Bei
allen Unterschieden in Denkungsart, akademischer Her-

kunft, Interesse und Arbeitsgebiet drängen sich auch sonst Parallelen auf.

Was beide Geister verbindet, ist die frühe modernitäts-kritische Prägung durchs katholische Milieu, eine Heirat, durch die sie sich so oder so von der Kirche entfernt haben, der trotzige Provinzialismus und eine gewisse Unsicherheit gegenüber allem Urbanen, das aus der Etappe mitvollzo-gene Generationserlebnis des Ersten Weltkriegs und der Versailles-Komplex, dazu der existentialistische Aufbruch »von Goethe zu Hölderlin«, überhaupt die Wendung gegen den Humanismus, eine lateinisch-katholische beziehungs-weise griechisch-neuheidnische Kritik an Aufklärungstra-ditionen, sei es im Zeichen von Donoso Cortés oder Nietz-sche, die geisteselitäre Abneigung gegen Parteienstaat, De-mokratie, Öffentlichkeit, Diskussion, die Verachtung alles Egalitären, die geradezu panische Furcht vor Emanzipation und die Suche nach intakter geistiger Autorität – und dann natürlich der Führer, der ihnen zum gemeinsamen Schicksal wurde.

Beide gehörten zu den »großen Jasagern von 1933«, weil sie sich den Nazis unendlich überlegen fühlten und den »Führer führen« wollten; sie haben das Illusionäre ihres verstiegenen Vorsatzes erfahren, weigerten sich aber post festum, ihre Schuld oder auch nur ihren politischen Irrtum öffentlich einzugestehen. »Was war denn eigentlich unan-ständiger«, so fragt Carl Schmitt, »1933 für Hitler einzutre-ten oder 1945 auf ihn zu spucken?« Diese Weigerung und der Haß auf »Bußprediger wie Jaspers« standen am Anfang der unvergleichlichen Wirkungsgeschichte, die Heidegger wie Schmitt in der Bundesrepublik beschieden war.

Es bedarf keiner Erklärung, warum wegweisende Argu-mente, Deutungsperspektiven und Gedanken, die weltweit Beachtung finden, auch in der Bundesrepublik als Heraus-forderung begriffen worden sind; es gibt genügend Beispiele für eine produktive Verarbeitung dieser Anstöße. Einer Erklärung bedarf jedoch der Umstand, daß diese »Reichswortführer« im Land des offen zutage liegenden Zivilisationsbruchs – trotz ihrer Uneinsichtigkeit, ja ihrer demonstrativ zur Schau gestellten Unbelehrbarkeit – unter den Jüngeren jene Art von intellektuell faszinierter Gefolgschaft fanden, in der sich eine Identifikation mit tieferliegenden Gesinnungen verrät. Im Fall Heideggers, dessen Lehre durch politisch nichtdiskreditierte Schüler vermittelt wurde und der als Emeritus selbst noch bis 1967 lehren konnte, mag die Erklärung trivial sein: Er war zunächst bloß als der politisch unverdächtige Autor von *Sein und Zeit* präsent und fügte sich überhaupt in jenes Muster einer auf Verdrängen und Verschweigen beruhenden Normalität ein, das sich an deutschen Universitäten auf breite, durch die Nazizeit problemlos hindurchreichende personelle und inhaltliche Kontinuitäten stützen konnte.

Aber im Falle Carl Schmitts lagen die Dinge anders; einem Entnazifizierungsverfahren hatte er sich verweigert, so daß er – eine Ausnahme selbst unter den schwer belasteten Juristen – auch später nicht wieder an die Universität zurückkehren durfte. Die Wege zum »amtsverdrängten« Kollaborateur des »Dritten Reiches« führten deshalb nur über die Schwelle des Privathauses in Plettenberg, über informelle Gesprächsrunden und Freundeskreise, über abgelegene Kolloquien und Tagungen, die für den Meister veranstaltet wurden. Die Barrieren waren höher, aber die Kontakte enger und die Gespräche intensiver.

So entstand eine Aura des Verschwörerischen und Eingeweihten, die den Eindruck erweckt, als habe sich hier eine subversive Unterströmung der politischen Geistesgeschichte der Bundesrepublik ausgebildet. Tatsächlich sind damals viele der klügsten und produktivsten jungen Leute zum »Schmittianismus« konvertiert; aber bis auf wenige

Außenseiter wie Armin Mohler und Hans-Joachim Arndt oder Bernard Willms haben sie sich von den politischen Vorurteilen des »Benito Cereno« nicht auf Dauer gefangennehmen lassen. Sie haben auch diesseits von CSU und Siemens-Stiftung Karriere gemacht und einen antikommunistisch ausgewiesenen Carl Schmitt dem antitotalitären Hintergrundkonsens der Bundesrepublik zugeführt. Das erklärt freilich noch nicht, warum sie sich überhaupt mit einer solchen Figur – trotz der wenig einladenden Ausgangsbedingungen – identifiziert haben.

Diese Frage hat Dirk van Laak, bis vor kurzem Bearbeiter des Nachlasses Carl Schmitts im Hauptstaatsarchiv Düsseldorf, aufgenommen. Dabei ist ein Stück Intellektuellengeschichte der frühen Bundesrepublik aus der Sicht eines Kulturhistorikers entstanden, der vor allem die Generations- und Gruppenphänomene von »Deutungseliten« im Blick hat. Die soziologisch anspruchslosen Mittel der »Kreiselforschung« sind jenen informellen Gesprächsrunden angemessen, in denen sich nach dem Ende des Kriegs an vielen Orten orientierungsbedürftige Bürger und Intellektuelle zusammengefunden hatten. Einige dieser Gruppen dienten darüber hinaus dem handfesteren Ziel der Kontaktaufnahme und wechselseitigen Hilfe unter den alten, sozial und geistig zunächst aus der Bahn geworfenen PGs.

Als einen solchen Kreis der »Ehemaligen« schildert van Laak die 1949 gegründete »Academia Moralis«. Der eingetragene Verein hatte sich um Carl Schmitt gebildet und unterstützte diesen aus Industriespenden auch materiell bis zur Regelung seiner Pensionsansprüche im Jahr 1952. Außer engeren Freunden wie Hans Barion und Günther Krauss kamen ehemalige Schüler wie Werner Weber und Ernst Forsthoff oder Bekannte aus den dreißiger und vierziger Jahren wie Helmut Schelsky und der Osteuropa-Historiker Peter Scheibert zu Vorträgen. Ganz im alten Geiste schreibt noch 1952 ein Akademiemitglied an Schmitt, er habe hoffentlich bemerkt, »wie verzweigt doch der Kreis derer ist, die es als Pflicht empfunden haben, Ihnen gegen den Terror, den schwarzen, den roten, den beschnittenen, beizustehen«. Die kommentarlos wiedergegebene Briefstelle ist offenbar eine Resonanz auf »die vielen Arten des Terrors«, denen sich Schmitt damals ausgesetzt sah (wie er in *Ex Captivitate Salus* und im *Glossarium,* jenen unsäglichen Aufzeichnungen aus den Jahren 1947 bis 1951, immer wieder betont).

Auch andere Verbindungen nahm Schmitt wieder auf, so zu den Tatkreislern Giselher Wirsing und Hans Zehrer oder zu Margret Boveri, die er aus Berliner Tagen kannte. Im Anschluß an einige Skizzen der gleichgesinnten Jungkonservativen – von Heidegger, Jünger und Benn bis zu Hans Freyer und Wilhelm Stapel – beschreibt van Laak das Situations- und Selbstverständnis, das diesen Kreis nach 1945 auszeichnet; ein kleiner Schuß Ideologiekritik hätte der Analyse dieser Herrenmentalität, die sich in Begriffen wie Comment, Rang, Charakter und Geschmack artikuliert, nicht geschadet. Auch der Darstellung der akademischen Schmitt-Rezeption in den fünfziger Jahren fehlt analytische Schärfe, weil der Autor sich auf die Texte selbst nicht einläßt und von den einschlägigen Fachdiskussionen im öffentlichen und internationalen Recht, in Politikwissenschaft und Soziologie, Geschichte und Philosophie Abstand hält. Der Streit über den auf Freund-Feind-Verhältnisse reduzierten Begriff des Politischen ist vordergründig. Provokativ für das Selbstverständnis des demokratischen Verfassungsstaates ist vielmehr jene Politische Theologie, die einen säkularisierten Begriff von Politik und damit das demokratische Verfahren als Legitimationsgrundlage des Rechts ablehnt, die eine ihres deliberativen Kerns beraubte Demokratie zur bloßen Akklamation formierter Massen entstellt, den Mythos der geborenen nationalen Einheit dem gesellschaftlichen Pluralismus entgegensetzt und den Universalismus der Menschenrechte und der Menschheitsmoral als verbrecherische Heuchelei denunziert.

Auf interessante Weise wird das Netz von Beziehungen geschildert, das Carl Schmitt privatim oder mit Hilfe von Ernst Forsthoff und Joachim Ritter zur jüngeren Generation knüpft. In dem Jahrzehnt vor 1968 gewinnt Schmitt durch persönliche Kontakte seine wichtigsten Schüler. Um Nicolaus Sombart und Hanno Kesting, die Schmitt schon früher kennengelernt hatten, bildete sich in Heidelberg – aus »Dissidenten« des Alfred-Weber-Seminars – ein geschlossener Kreis von faszinierten Anhängern. Forsthoff richtete 1957 die Ebracher Ferienkurse ein, an denen gelegentlich auch Hans Barion, Arnold Gehlen, Werner Conze, Franz Wieacker, Pascual Jordan und andere Freunde Carl Schmitts teilnahmen; sie brachten den Meister regelmäßig mit einem größeren Kreis interessierter Studenten zusammen. Im selben Jahr kam Schmitt nach Münster und inspirierte nachhaltig einige der produktivsten Ritter-Schüler; diese eigneten sich dessen Ideen freilich aus einer gewissen Distanz und auf selbständige Weise an.

Die zehn biographischen Skizzen am Schluß des Buches zeigen, wie Carl Schmitts Gedanken in die Bildungsprozesse von Schülern aus zwei Generationen eingegriffen haben – es sind übrigens ausschließlich Männer. Für die in der Bundesrepublik einsetzende Wirkungsgeschichte sind jene von besonderem Interesse, die in den zwanziger Jahren oder später geboren wurden.

Die Auswahl dieser gelungenen Portraits wird nicht begründet. Man weiß nicht recht, warum der Autor Hanno Kesting gegenüber Reinhart Koselleck den Vorzug gibt oder Hermann Lübbe gegenüber Robert Spaemann, Roman Schnur gegenüber Ernst-Wolfgang Böckenförde, Rüdiger

Altmann gegenüber Johannes Gross und so weiter. Sonst wäre das staatstragende Element dieser Wirkungsgeschichte vielleicht noch deutlicher hervorgetreten. In jedem Fall entspricht die Liste illustrer Namen, die sich aus dem Register leicht um weitere ergänzen ließe, für sich selbst: viel Konservatives, aber kein Hauch von rechtem Underground. Auf diesen Pfaden hat Carl Schmitt die politische Kultur der Bundesrepublik gewiß nicht destabilisiert. Die abweichenden Motive des jungkonservativen Denkens werden heute eher von Intellektuellen mit ganz anderen Bildungsgeschichten – wie Hans Magnus Enzensberger, Karl Heinz Bohrer oder Botho Strauß – am Leben erhalten.

Diese Beobachtung macht die Frage nach den Gründen für die persönliche Attraktivität Carl Schmitts in den fünfziger Jahren nur um so dringlicher. Die Anziehungskraft, die ein brillanter Geist in der selbststilisierten Rolle des Verfemten auf empfängliche, intellektuell neugierige Gemüter ausgeübt haben mag, ist kaum eine hinreichende Erklärung. Diese sensiblen Studenten begegneten in Plettenberg einer Weltsicht, die durch Projektion verzerrt und durch Ressentiments zugestellt war. Das *Glossarium* quillt ja über von rabiatem Antisemitismus, von blindem Haß auf die »in moralischer Hinsicht partiell gestörten« Emigranten, von der peinlichen Larmoyanz dessen, der sich als »gejagtes Wild«, als einen aus dem Bauch des Leviathan ausgespienen Jonas sieht. Schmitt war offensichtlich von einer pathologischen Unfähigkeit, die Proportionen des Geschehenen und die eigene Rolle darin zu erkennen; er leugnet und exkulpiert sich, er schäumt gegen die »Kriminalisierer von Nürnberg«, gegen die »Konstrukture von Menschlichkeitsverbrechen und Genoziden«; er höhnt: »Die Verbrechen gegen die Menschlichkeit werden von Deutschen begangen. Die Verbrechen für die Menschlichkeit an Deutschen. Das ist der ganze Unterschied ...«

Gleichwohl ist dieser Carl Schmitt den Jüngeren, jedenfalls einigen von ihnen, als jemand erschienen, der zwei existentielle Bedürfnisse erfüllt: Er schien die Ursachen der Niederlage begreiflich zu machen und die Kontinuität einer in Frage gestellten deutschen Überlieferung überzeugend zu repräsentieren. Der junge Sombart fragt ihn in einem Brief: »Wie hat man in Deutschland geistig die Niederlage verarbeitet, gibt es ein spirituelles Gegengewicht zum Wirtschaftswunder?« Und Kesting wünscht sich Schmitt als »einen geheimen Principe im unsichtbaren Reich deutscher Geistigkeit« – er soll »unser aller Avancierriese« sein. Für diese Erwartung war die wichtigste Voraussetzung das gemeinsame Gefühl, 1945 »besiegt« worden zu sein.

Das politische Bewußtsein einer Generation mag durch dasselbe Problem bestimmt werden, aber nicht alle Angehörigen reagieren darauf in derselben Weise. So haben benachbarte Jahrgänge »1945« verschieden erlebt und verschieden interpretiert: Für die einen bedeutete das Datum die schmähliche Niederlage, ja Kapitulation des deutschen Volkes, für die anderen die Befreiung von einem verbrecherischen Regime – oder doch eine Zäsur, die man im Licht der damals enthüllten Massenverbrechen als Chance zu begreifen lernte. Für die Jahrgänge, die als Soldaten ihre Haut für Volk und Führer oder auch nur fürs Vaterland zu Markte getragen hatten, war diese Einsicht wohl schwerer zu fassen als für andere. Die, die »1945« nicht als neuen Anfang, nicht als Herausforderung verstanden, mit den Traditionen des deutschen Sonderbewußtseines zu brechen, hatten freilich die Wahl, sich unprätentiös an die neuen Verhältnisse anzupassen. Der Trotz des selbstbewußten »Besiegten«, den Schmitt und Heidegger mit großer Gebärde verkörperten, war anscheinend eine Alternative gerade für die Bewußteren, die nach Aufklärung suchten.

Wer diese Fährte, die van Laak nicht aufnimmt, etwas

weiterverfolgt, wird Attraktivität und »Sündenbockrolle« Carl Schmitts in einem anderen Licht sehen als er und seine Gefolgsleute.

Schon Wolfgang Abendroth hat die Symptomatik jener Ablehnung erkannt, auf die Schmitt stieß, als er 1949 den vergeblichen Versuch machte, in den exklusiven Club seiner Standesgenossen, die »Vereinigung Deutscher Staatsrechtslehrer«, wieder aufgenommen zu werden. An Schmitt mußte ein Exempel statuiert werden, wenn man nicht riskieren wollte, daß die diskreditierende Vergangenheit der Kollegen und Schüler, die längst wieder »drin« waren, aufgerührt würde. In der frühen Bundesrepublik hat keine Abwicklung, kein Elitenwechsel stattgefunden. In deren sozialpsychologischem Haushalt bildete deshalb Carl Schmitt – als der Gegentypus, auf den die Rehabilitierten und die Mitläufer projektiv die verdrängten oder verschwiegenen Anteile ihrer eigenen Biographie abladen konnten – eine funktional notwendige Ergänzung zur stillschweigenden Integration der alten Trägerschichten. Auf der anderen Seite war Carl Schmitt dadurch den bevorzugten Kollegen in einer weniger beachteten Hinsicht auch überlegen – und unter diesem Aspekt kann seine enorme Wirkungsgeschichte und seine erneute Aktualität seit 1989 verständlich werden: Carl Schmitt, der sich nicht hatte entnazifizieren lassen, brauchte auch nicht wie die anderen zu schweigen; er durfte die deutschen Kontinuitäten zur Sprache bringen, mit denen die anderen wortlos weiterlebten.

Unter dem Druck der offiziellen, in der Bundesrepublik herrschenden Meinung hatte sich ja den Filbingers das Jahr 1945 nur widerstrebend als eine Zäsur eingeprägt, die die Abkehr vom deutschen Sonderweg besiegeln sollte. Der Schleier über dieser verqueren Bewußtseinslage ist natürlich in Weikersheim längst gelüftet worden. Aber auf exemplarische Weise ist dieses gespaltene Bewußtsein jüngst vom

Herausgeber der *Deutschen Nationalzeitung* noch einmal grell beleuchtet worden mit der Enthüllung, daß Theodor Maunz – ehemaliger bayerischer Kultusminister und weltweit anerkannter Autor des maßgebenden Kommentars zum Grundgesetz – unter Pseudonym auch weiterhin der politischen Gesinnung seiner Jugend treu geblieben war. Gewiß gehören Theodor Maunz und Carl Schmitt, der Repräsentant des neuen Staates und der Feind des parteienstaatlichen Pluralismus, wie zwei Seiten zur selben Medaille: Ironisch genug, haben sie in der nachfolgenden Generation arbeitsteilig zu einem liberalkonservativen Grundeinverständnis beigetragen, aufgrund dessen heute Schüler des einen und des anderen als Bundesverfassungsrichter Seite an Seite sitzen. Aber von jenen beiden hält nur der eine, der sich der herrschenden politischen Kultur verweigert und sich als der diffamierte Verweigerer selbst inszeniert hat, hält also nur Carl Schmitt die Ressourcen bereit, aus denen das wiedererwachte Bedürfnis nach deutschen Kontinuitäten gestillt werden kann.

Darin sehe ich ein Motiv für jenen – nicht nur im Feuilleton der *FAZ* – jahrzehntelang verbissen ausgefochtenen Kampf um die politisch-intellektuelle Rehabilitation der großen Jungkonservativen. Sie nämlich, die spezifisch deutschen Sprößlinge des auch mental verlorenen Ersten Weltkriegs, erscheinen als die wahren Hüter einer ununterbrochenen nationalen Tradition. Sie hatten nach eigenem Bekunden 1945 nichts zu bereuen, weil sie sich von der »Bewegung«, die sie 1933 unterstützt hatten, nachträglich getäuscht fühlen konnten. Es waren ja ihre Ideen, in deren Licht sie den Nationalsozialismus immerhin als eine Variante des »Eigenen« wahrgenommen hatten. So erscheint Hitler in Carl Schmitts Rückspiegel als der »obdachlose Lumpenproletarier«, der in den »Bildungstempel« eingebrochen ist, um mit den »reinen Ideen« bitter Ernst zu machen: »Umgekehrt waren diese bisher ziemlich rein gedachten Affekte und Formeln überrascht und glücklich, ernstgenommen zu werden.« Schmitts Biograph Paul Noack spricht deshalb von »einer Art Unschuld des deutschen Bürgertums, insbesondere seiner Intelligenz, im Jahre 1933«.

Die großen weltgeschichtlichen Vorgänge, so haben wir gelernt, ereignen sich zweimal: das eine Mal als Tragödie, das andere Mal als Farce. Es war wohl der Ausdruck einer »zweiten Unschuld« des deutschen Bürgertums und seiner Intelligenz, daß der damalige Präsident des Bundesverfassungsgerichts – immerhin langjähriger Assistent, Mitarbeiter und Kollege von Theodor Maunz –, mit dem politisch-intellektuellen Doppelleben seines Lehrers konfrontiert, ob dieser Täuschung nur sein fassungsloses Erstaunen bekundete.

Das Falsche im Eigenen
Zu Benjamin und Adorno

Scholem war erleichtert, als er 1980 seinen – wieder aufgefundenen – Briefwechsel mit Benjamin aus den Jahren 1933 bis 1940 vorlegen konnte: Mit dieser Korrespondenz wollte er sich auch gegen die »rüden Vereinfachungen« zur Wehr setzen, die über seine Versuche in Umlauf waren, Benjamin zu einer Übersiedlung nach Palästina zu »überreden«. Mit dem gleichen Gefühl der Erleichterung könnte Adorno das nun veröffentlichte Gegenstück, seinen Briefwechsel mit Benjamin aus den Jahren 1928 bis 1940, begleiten: Er enthält eine überzeugende Rehabilitation gegen die von Hannah Arendt in die Welt gesetzten Verdächtigungen.

Teddie und Gretel Adorno sind um den in Paris zunehmend vereinsamten und materiell bedrängten Freund in anrührender Weise besorgt; die energischen und nicht nachlassenden Initiativen, die sie ergreifen, um die prekäre Lage eines diskret-querulierenden Benjamin zu verbessern, zeigen sogar einen nicht eben mit Weltklugheit begabten Adorno von einer überraschend pragmatischen Seite. Auch an der Ernsthaftigkeit der Absicht, Benjamin rechtzeitig aus dem gefährdeten Frankreich herauszuholen, besteht kein Zweifel. Das bestätigt übrigens ein soeben im *Oxford Art Journal* veröffentlichtes Interview mit dem Kunsthistoriker Meyer-Schapiro, der auf Wunsch von Adorno und Horkheimer, kurz vor Ausbruch des Kriegs, den Versuch unternahm, Benjamin von der Notwendigkeit einer Übersiedlung nach New York zu überzeugen. Benjamin selbst zögerte offenbar, das europäische Milieu zu verlassen: »Well, he had already been invited by them. He didn't think he could be at home in America, granted the difference of his background and his interests.«

Damit korrespondiert wiederum ein Brief, den Gretel Adorno zur selben Zeit (15. Juli 1939) an Benjamin schreibt – in der tragisch-ironischen Erwartung eines Wiedersehens, das nicht mehr zustande kam: »Ich bin ganz närrisch vor Freude und überlege mir schon dauernd, in welcher Reihenfolge man Dir die Attraktionen von New York vorführen solle, damit es Dir in der Barbarei auch ja gefällt.« Benjamin konnte daraus auch das leicht Forcierte eines unterdrückten Heimwehs herauslesen; dazu brauchte er sich nur jener ambivalent-romantischen Zeilen zu erinnern, die Gretel ein Jahr zuvor, unmittelbar nach ihrer Ankunft in New York, an den Zurückgelassenen gerichtet hatte: »Surrealistische Dinge braucht man hier nicht (erst) zu suchen... Am frühen Abend sind die Turmhäuser imposant, später aber, wenn die Büros geschlossen sind, erinnern sie an europäische Hinterhäuser, die nicht genügend beleuchtet sind. Und denk Dir, Sterne gibt es und einen waagerechten Mond und herrliche Sonnenuntergänge wie in der Sommerfrische.«

Natürlich kann man diese Korrespondenz aus der Kammerdienerperspektive nach »Stellen« absuchen, um sich an jenen Animositäten, die sich unter dem Überlebens- und Marginalisierungsdruck der Emigration noch verschärfen, zu delektieren. Einmal ist die Rede von Differenzen, die in tiefere Schichten reichen als »die Gereiztheiten zwischen Schreibenden«; auf diese hat Adorno zeitlebens überempfindlich reagiert; so auch hier, gelegentlich mit scharfen Formulierungen, die er wohl nicht gerne publiziert gesehen hätte. Es schmerzt zu sehen, wie er beispielsweise Kracauer, seinen alten Freund und Mentor, fallenläßt. Im übrigen trifft man aber auf die bekannte Konstellation. Hier ein Benjamin, der seine – vom wechselseitigen Argwohn begleiteten – Beziehungen zu Scholem, Brecht und Adorno zu separieren und gegen Übergriffe in der einen oder anderen Richtung intakt zu halten trachtete. Dort Adorno, der die Autorität eines (nach dem ersten Treffen in New York hinreißend charakterisierten) Scholem mit ungewohnter Scheu respektiert, der Brechts »platten« Materialismus um so unnachgiebiger verfolgt, der aus seinem Geschwisterneid gegen Marcuse und Löwenthal kein Hehl macht und sich von Bloch immer weiter distanziert, zumal nach dessen Stellungnahme zu den Stalinschen Schauprozessen. Dieses Muster hat sich in den fünfziger und sechziger Jahren kaum verändert.

Auf den ersten Blick scheint der Briefwechsel auch theoretisch nichts Neues zu bringen; seine philosophisch gewichtigsten Bruchstücke sind ja seit langem bekannt. Was nun, bis auf wenige verlorengegangene Exemplare, zum ersten Mal als ein chronologisch geordnetes Ganzes vorliegt, muß sich unter anderen Aspekten rechtfertigen. Der Leser wird Zeuge eines spannungsreichen Prozesses der tastenden Annäherung zwischen Personen, die einander kaum anders als auf diesem literarisch vermittelten Weg hätten näherkommen können. Immer wieder versichern sich die Partner zwar des Wunsches nach persönlicher Begegnung und direkter Aussprache. Aber die Kette der fortgesetzt aufgeschobenen und verhinderten Besuche – Adorno machte zweimal einen kurzen Abstecher nach Paris – spiegelt nicht nur die Widrigkeit der Umstände; sie verrät auch die uneingestandene Präferenz für den Umweg des schriftlichen Ausdrucks. Der Formzwang des brieflichen Mediums, so hat man den Eindruck, schützt einen zurückgezogenen Benjamin vor den Kontingenzen und Aufdringlichkeiten des unmittelbaren Kontakts und räumt zugleich einem in der Sache strengen Adorno die größere Freiheit der kritischen Äußerung ein.

Die »Gereiztheiten zwischen Schreibenden« ahnt man nur ein einziges Mal, und zwar in der Korrespondenz über

Adornos Antrittsvorlesung als Frankfurter Privatdozent, in der dieser Motive aus Benjamins Barockbuch aufnimmt und – in einer frühen, erstaunlich weitsichtigen Auseinandersetzung mit Heidegger – produktiv zuspitzt, ohne seine Quelle beim Namen zu nennen. Das löst auf der einen Seite Irritation und auf der anderen Seite die Überlegung aus, das Versäumte durch ein Motto oder eine Widmung beim Druck wiedergutzumachen. Tatsächlich wird die Vorlesung erst nach Adornos Tod publiziert, ohne Widmung oder Motto. Sonst wird der von gegenseitiger Behutsamkeit und einem gewissen elitären Einverständnis geprägte Austausch geradezu dirigiert von dem freundschaftlichen Druck, den Adorno von Anfang an auf die Fertigstellung der geplanten *Passagenarbeit* ausübt. Ein Brief vom 5. April 1934 schließt mit den Worten: »Damit wäre ich wieder beim Ceterum Censeo. Ihren ›Passagen‹ nämlich, die geschrieben, vollendet und getan werden müssen um jeden Preis.«

Benjamin hat seine Freunde mit einem »metaphysischen Ingenium«, von dem Scholem einmal als dem »hervorstechendsten Talent« spricht, eigenartig fasziniert. Ohne die Aura eines ebenso verheißungsvollen wie rätselhaften Denkgestus ist jener Bann kaum zu erklären, den das Projekt der unvollendet gebliebenen *Passagenarbeit* auf Adorno nicht weniger als auf Scholem (übrigens ungebrochenen bis zu dessen Tod) ausgeübt hat. Die enthusiastische Erwartung, die Adorno damit verband, hatte projektive Züge im doppelten Sinne des Wortes. Ohne ein Gran von Rhetorik erwartet er von Benjamin »das uns aufgegebene Stück prima philosophia« und »das entscheidende Wort, das heute philosophisch gesprochen werden kann«. Benjamin widerspricht dem nicht: Diese Arbeit sei der eigentliche, wenn nicht der einzige Grund, »den Mut im Existenzkampf nicht aufzugeben«. Allerdings steckt in Adornos fordernder Ungeduld auch ein Moment *Aneignung*.

Adorno wird für Benjamin, der sich erst zögernd der beinahe ungestümen Verehrung des Jüngeren öffnet, im Lauf der Jahre zum theoretischen Gewissen, zu einer Art philosophischem Über-Ich, weil diesem, so scheint es wenigstens, nach und nach eine Definitionsgewalt über die Richtung zuwächst, in der sich die *Passagenarbeit* entwickeln soll. Vor diesem Hintergrund gewinnt der Briefwechsel doch noch ein theoretisches Interesse; die verschiedenen Variationen eines gemeinsamen Themas treten deutlicher hervor als bisher.

Beiden Seiten geht es um eine Verschränkung des Archaischen mit der Moderne; und wie sich eins im anderen abbildet, soll sich – Bataille! – an Abfällen und Trümmern, an der historisch abgeblätterten »Dingwelt des 19. Jahrhunderts« bestimmen lassen. Benjamin möchte in den archaischen Zügen der Moderne, die zu »dialektischen Bildern« geronnen sind, zweierlei dechiffrieren – sowohl die destruktive Wiederholung des alten Unheils als auch eine gegen die zerstörerische Moderne gerichtete Ursprungskraft, die das Unheil wenden könnte. Dieses zweite Moment der Rettung und Bergung eines erst zu entbindenden Ursprünglichen ist Adorno suspekt. Für ihn ist das Archaische *ohne Rest* geschichtlich produziert; was die Geschichte zum Verstummen gebracht und als »prähistorisch« nur vermummt hat, strahlt einen falschen Zauber aus.

Adorno verbietet sich den Rekurs auf ein Ursprüngliches, das die Moderne, der es doch zugehört, *ganz* ins Unrecht setzen könnte. Er macht deshalb von Grundbegriffen wie Verdinglichung oder Tausch- und Gebrauchswert einen anderen Gebrauch als Benjamin. Adorno ist kein Lebensphilosoph. Er widersteht dem Impuls, das Verdinglichte *ganz* ins Spontane, den Warenfetisch *nur* in den verzehrenden Prozeß der Aneignung auflösen zu wollen; er verteidigt das wahre Moment an der Dingform nicht nur im Hinblick aufs

Kunstwerk – denn allein »dem dinghaft verkehrten Leben ist ein Entrinnen aus dem Naturzusammenhang versprochen«. Kurzum, es gibt kein Ursprüngliches »hinter« der Moderne, das sich nicht deren eigenen regressiven Tendenzen verdankte.

Als Grundtenor zieht sich durch den Briefwechsel Adornos Warnung, die »dialektischen« Bilder nicht mit den »archaischen« von C. G. Jung oder Ludwig Klages zu verwechseln: Sonst führe nämlich »die Entzauberung des dialektischen Bildes geradewegs in ungebrochen mythisches Denken, und wie dort Jung, so meldet hier Klages als Gefahr sich an«. In dieselbe Kerbe schlägt die wiederholte Kritik an Benjamins »anthropologischem Materialismus«, überhaupt an seinem jungkonservativen Begriffsregister. Adorno wittert in den Texten des Freundes noch die leisesten Spuren einer Auratisierung von Urgestalt, Haltung, Geste, Leiblichkeit und so weiter. Massiv wird er freilich nur beim entfernteren Roger Callois, der mit Bataille und Leiris ein »Collège de Sociologie sacrée« gegründet hatte; ihm wirft er, als hätte er die Stoßrichtung von Matthes & Seitz schon geahnt, eine »antihistorische, der gesellschaftlichen Analyse feindliche und in der Tat kryptofascistische Naturgläubigkeit (vor), die am Schluß zu einer Art Volksgemeinschaft von Biologie und Imagination führt«.

Benjamin läßt sich von diesen Vorhaltungen immerhin so weit beeindrucken, daß er eine »mangelnde Bewältigung des Archaischen« zugibt und sich (scheinbar) auf den Plan einläßt, einen Aufsatz über C. G. Jung zu schreiben, der »die Grenzscheide zwischen archaischem und dialektischem Bild« deutlich machen sollte. Gegenüber den zahlreichen Mahnungen Adornos verschanzt er sich schließlich hinter einer Präferenz Horkheimers für den Baudelaire-Aufsatz, um die in Aussicht gestellte Abrechnung mit Jung nicht ausführen zu müssen.

In diesem Tauziehen um die Konzeption des *Passagenwerks* zeichnet sich bei Adorno eine eigenständige philosophische Intention ab. Er gewinnt in diesen dreißiger Jahren ein Profil, das jedenfalls nicht zu dem Klischee einer vermittelnden Stellung zwischen Benjamin und Horkheimer paßt. Offenbar ist Adorno nicht nur der philosophisch Geschulte, der gegenüber einem zitatensammelnden und -montierenden Benjamin auf der theoretischen Durchdringung des Materials beharrt, während er andererseits die von dort empfangenen, spekulativen Denkanstöße theologisch entschlackt, um sie dann in Santa Monica zusammen mit Horkheimer zu einer negativistischen Geschichtsphilosophie zu verarbeiten, nachdem dieser – an der interdisziplinären Durchführung einer materialistischen Gesellschaftstheorie verzweifelnd – das Programm der *Zeitschrift* zugunsten einer *Kritik der instrumentellen Vernunft* preisgegeben hatte.

Wenn Adorno damals mit Benjamin »im Neuen, als Schein und Phantasmagorie, das Alte« entdeckte und wenn er, gewiß, damals schon die Aufklärung in Mythos umschlagen sah, so blieb er doch weit davon entfernt, an dem derart entzifferten Mythos irgend etwas »retten« zu wollen: »Die Ware als dialektisches Bild verstehen heißt eben, auch sie als Motiv ihres Untergangs und ihrer ›Aufhebung‹ anstatt der bloßen Regression aufs Ältere verstehen.« Weil er das »Ineins« von Fortschritt und Dekadenz anders verstand als Benjamin, war er gegen jede plane Kritik am Fortschritt immun. Nichts machte Adorno nervöser als die »mythischen und archaisierenden Tendenzen« der dreißiger und, ach, nicht nur der dreißiger Jahre: »So scheint mir denn die Kategorie, unter welcher die Archaik in der Moderne *aufgeht,* weit weniger das goldene Zeitalter als die Katastrophe.«

Auch in den Briefen, die vor der Zensur sicher waren,

finden die bedrängenden politischen Ereignisse erstaunlicherweise nur eine spärliche Erwähnung. Die Einschätzung der politischen Lage bleibt zudem auf beiden Seiten lange genug illusionär. Erst 1938 bahnt sich eine Katastrophenstimmung an; dennoch scheinen die Kriegsereignisse über Benjamin wie eine *unerwartete* Katastrophe hereinzubrechen.

So unpolitisch die Einstellungen und Urteile der Briefpartner uns heute, mit dem Besserwissen der Nachgeborenen, erscheinen, so untergründig kommunizieren doch die Tiefenschichten ihrer Theorie mit dem Unheil des unvorhersehbaren Zivilisationsbruchs. In offensichtlicher Weise gilt das für die berühmten *Geschichtsphilosophischen Thesen,* die Benjamin in einem Brief vom 7. Mai 1940 (!) ein einziges Mal erwähnt. Aber unübersehbar ist auch die politische Substanz des *sondierenden* Denkens, das Adorno mit seiner untrüglichen Sensibilität für die *aus nächster Nähe* drohenden Gefahren, hier also in der Auseinandersetzung mit Benjamin, exerziert.

Die Disposition zu dieser Art der Kritik des Falschen im Eigenen ist es, die Adornos spätere Wirkungsgeschichte in der frühen Bundesrepublik erklärt. Adorno hat eine Generation von Assistenten, er hat ein, zwei Generationen von Studenten und ein lernbereites Publikum, das seine Essays las und seine Rundfunkvorträge hörte, empfindlich gemacht für die Verstümmelungen und die marginalisierten Potentiale, für das Fremdgewordene und Eingekapselte in den *eigenen* Traditionen. Albrecht Wellmer hat Adorno den seltenen Fall eines Philosophen genannt, der zugleich ganz der Moderne angehörte *und* der deutschen Tradition; darauf führt er jene befreiende Wirkung seines Denkens zurück, das »gegen die Versuchungen des Archaischen gefeit war und doch den romantischen Impuls in sich bewahrte«.

Heute wird über die »Westorientierung« der Bundesrepublik wieder gestritten, über die kulturelle mehr noch als über die politische. Adorno hat das westlich-humanistische Erbe aus der deutschen Tradition selbst herausheben können, weil er zugleich deren Zweideutigkeiten ans Licht brachte. Er hat mit Kant und Marx, Heine und Freud, mit Karl Kraus, Schönberg und Kafka einen ausgrenzenden und korrumpierten Bildungshumanismus ebenso wie den strammen oder exaltiert-raunenden Antihumanismus gegen den kulturfeindlichen Strich gebürstet. Jenem Heinrich Heine, der »die Partei der Blumen und der Nachtigallen« mit der der Revolution verbunden hatte, haben die Deutschen lange genug nicht verziehen; sie haben ihm nicht verziehen, daß er »ihr« romantisches Erbe dem fatal Volkstümlichen und falsch Historisierenden, der verklärenden Sentimentalität entführt und den eigenen, radikalen Ursprüngen in der Aufklärung zurückgegeben hat. Die Ranküne, der Adorno zu Lebzeiten und bis heute begegnet, läßt ein ähnliches Motiv vermuten. Dem Feuilleton der *FAZ* fiel beispielsweise zu seinem 25. Todestag nichts Besseres ein, als aus gehässigen Stimmen hämischer Kleingeister ein Potpourri anzurühren. Sie können Adorno die Denunzierung falscher Kontinuitäten nicht verzeihen; nicht verzeihen jenen ethnologischen Blick auf das Barbarische im Innersten, der uns heute, mit einer mißtrauischen Distanz von unserer Überlieferung, erst die Möglichkeit für eine Identifikation mit ihr gibt.

Seitdem die Wiederbelebungsversuche am jungkonservativen Gedankengut so munter von Syberberg und Bergfleth zu Heiner Müller und Botho Strauß fortgeschritten sind, wird es von Tag zu Tag ungewisser, ob sich die Adornosche Traditionslinie kritischer Selbstvergewisserung in der Zapfenstreich-Normalität der Berliner Republik wird fortsetzen lassen.

5. »Faktizität und Geltung«

Ein Gespräch über Fragen der politischen Theorie

Frage: In der Rede, die Sie 1984 vor dem spanischen Parlament gehalten haben, sprechen Sie von der »Erschöpfung utopischer Energien«. Wir leben in einer Zeit, sagten Sie, geprägt von einer »neuen Unübersichtlichkeit« und mit einer Zukunft, die negativ besetzt ist (Die Neue Unübersichtlichkeit, *S. 143*). *Diese Diagnose hat unseres Erachtens in den zehn Jahren, die inzwischen vergangen sind, nichts an Aktualität verloren. Der Untergang des sogenannten real existierenden Sozialismus und das Ende des kalten Krieges haben nicht zu einer befriedeten Welt geführt. Statt dessen sehen wir uns heute mit Bürgerkriegen, Rassismus, neuer Armut und einer fast ungebremsten Zerstörung der Umwelt konfrontiert. Die Verheißungen, die die sanfte Revolution von 1989 für manch einen mit sich brachte – Fukuyama sprach sogar von einem Ende der Geschichte –, wurden schon schnell Lügen gestraft. Angesichts dieser Problemlage sprechen Sie in* Faktizität und Geltung *(S. 535) von einer aus der Verzweiflung geborenen Hoffnung auf den Anfang einer universalistischen Weltordnung. Außerdem halten Sie am Projekt des Sozialismus fest. Als Inbegriff notwendiger Bedingungen für emanzipierte Lebensformen, über die sich Bürger selbst verständigen müssen, ist der Sozialismus nur als radikale Demokratie zu haben. Sie wenden sich dabei entschieden gegen jegliche Utopie im Sinne eines ausbuchstabierten Entwurfs und Telos' einer idealen Lebensform. Deshalb geht es bei dem durch Sie entwickelten Verfahrensbegriff der Demokratie um die formale Charakterisierung notwendiger Bedingungen für nicht antizipierbare Formen eines nichtverfehlten Lebens. Im Vorwort von* Faktizität und Geltung *schreiben Sie über die Einsicht, »daß im Zeichen einer vollständig säkularisierten Politik der Rechtsstaat ohne radikale Demokratie nicht zu haben und zu erhalten ist« (S. 13). Aber ist die radikale Demokratie überhaupt zu haben? Es stellt sich nämlich die Frage, ob die Realisierung der notwendigen Bedingungen einer demokratischen Gesellschaft – z. B. der gleichen Partizipationschancen – angesichts der genannten Probleme und der zunehmenden gesellschaftlichen Komplexität nicht allzu utopisch ist. Würden Sie der These zustimmen, daß der unabschließbare Charakter des »Projekts der Moderne« zwar kein utopisches Telos hat, aber auch nicht ohne utopische Energien auskommt?*

Natürlich muß der skeptische Stachel tief genug im normativen Fleisch sitzen, damit wir nicht doch wieder nur bei einer Beschwörung hehrer demokratischer Prinzipien landen. Wie Sie selbst sagen, bildet ja die skeptische Einschätzung der gegenwärtigen Weltlage den Hintergrund meiner Überlegung. Aus diesem Grunde unterscheidet sich auch mein Vorgehen von rein normativen Entwürfen wie beispielsweise der – für sich betrachtet bewundernswerten – Theorie der Gerechtigkeit von Rawls.

Erstens beschreite ich den Weg einer *rekonstruktiven* Analyse, um nachzuweisen, was wir an normativen Gehalten stillschweigend immer schon voraussetzen, wenn wir an jenen demokratischen und rechtsstaatlichen Praktiken teilnehmen, die sich in unseren Ländern glücklicherweise schon eingespielt haben. Mit diesen Praktiken ist ein vollständig zynisch gewordenes Bewußtsein nicht vereinbar. Andernfalls müßten sie sich bis zur Unkenntlichkeit verändern. Sobald die normative Substanz verdampft, sobald beispielsweise die Klienten nicht mehr das Empfinden haben, daß sie Aussicht haben, vor Gericht doch noch Recht zu bekommen, sobald die Wähler nicht mehr glauben, die Regierungspolitik mit ihrer Stimme doch irgendwie zu beeinflussen, muß sich das Recht in ein Instrument der Verhaltenskontrolle verwandeln und die demokratische Mehrheitsentscheidung in ein folgenloses Spektakel der Täuschung oder Selbsttäuschung. Eine Kapitulation der rechtsstaatlichen Prinzipien vor der überwältigenden gesellschaftlichen Komplexität kann man nicht ausschließen. Aber wenn sie eintritt, ändern sich eben unsere Begriffe von Recht und Demokratie, unterliegt das normative Selbstverständnis der Bürger, wie es in unseren Breiten heute noch besteht, auch einer radikalen Veränderung. Weil solche begrifflichen Zusammenhänge soziale Tatsachen begründen, lohnt sich eine Rekonstruktion der verzweigten Implikationen eines Rechtssystems, das seine Legitimität nur noch aus der Idee der Selbstgesetzgebung ziehen kann.

Zweitens versuche ich nachzuweisen, daß dieses normative Selbstverständnis unserer etablierten Praktiken nicht von Haus aus illusorisch ist. Ich verstehe die demokratischen Verfassungen als ebensoviele Projekte, an denen Gesetzgebung, Justiz und Verwaltung *täglich* arbeiten – und um deren Fortsetzung in der politischen Öffentlichkeit implizit immer auch gerungen wird. Allerdings muß man von liebgewonnenen Interpretationen Abschied nehmen. Auch von der Vorstellung, daß radikale Demokratie Selbstverwaltungssozialismus sei. Nur eine kommunikationstheoretisch begriffene Demokratie ist auch unter Bedingungen komplexer Gesellschaften möglich. Dabei muß man das Verhältnis von Zentrum und Peripherie umkehren: in meinem Modell tragen vor allem die Kommunikationsformen einer Zivilgesellschaft, die aus intakt gehaltenen Privatsphären hervorgeht, tragen die Kommunikationsflüsse einer vitalen Öffentlichkeit, die in eine liberale politische Kultur eingebettet ist, die Bürde normativer Erwartung. Deshalb haben Sie recht – ohne die interimistisch wirksame, innovative Kraft sozialer Bewegungen ändert sich nichts, auch nicht ohne die utopischen Bilder und Energien, die solche Bewegungen antreiben. Das heißt aber nicht, daß die Theorie selbst, wie bei Bloch, den Platz von Utopien einnehmen müßte.

Frage: Sie haben die republikanische Idee einer radikalen Demokratie kritisiert, weil sie u. a. dem unabdingbaren systemischen Charakter und der Eigendynamik der Politik nicht Rechnung tragen kann. Die Politik sollte Ihrer Meinung nach nicht nur mit handlungstheoretischen, sondern auch mit systemtheoretischen Mitteln analysiert werden. Die Volkssouveränität im Sinne einer über Gesetze programmierten Selbsteinwirkung wird sowohl von einer auf kommunikativem Handeln beruhenden Meinungs- und Willensbildung als auch von einem über das Medium Macht gesteuerten politischen System getragen. Damit stellt sich die Frage, wie die Bürger über Meinungs- und Willensbildungsprozesse das politische System beeinflussen können, ohne zugleich dessen Eigendynamik zu beeinträchtigen. Für die Beantwortung dieser Frage haben Sie zwei Modelle entwickelt. Dem in Volkssouveränität als Verfahren *(1988) vertretenen »Belagerungsmodell« entsprach das zweistufige Gesellschaftskonzept aus der* Theorie des kommunikativen Handelns. *Dieses Modell impliziert, daß die »politische Festung« belagert wird, indem die Bürger mittels öffentlicher Diskurse versuchen, auf die Urteils- und Entscheidungsprozesse Einfluß zu nehmen, ohne dabei Eroberungsabsichten zu haben. In* Faktizität und Geltung *gehen Sie von einem »Schleusenmodell« aus. Nach diesem Modell besteht das rechtsstaatlich verfaßte politische System aus einem Zentrum und einer Peripherie. Damit Bürger auf das Zentrum, d. h. auf das Parlament, Gerichte und Verwaltung, Einfluß nehmen können, müssen die Kommunikationseinflüsse aus der Peripherie die Schleusen demokratischer und rechtsstaatlicher Verfahren passieren. Im politischen Machtkreislauf ist Recht das Medium, durch das sich kommunikative*

Macht in administrative Macht transformiert. Worin unter-
scheidet sich nun präzise der Stellenwert, den das zwei-
stufige Gesellschaftsmodell des politischen Systems in Faktizität und Geltung *hat, von dem in der* Theorie des kommunikativen Handelns? *Implizieren die für die Andeutung der*
zwei Modelle verwendeten Metaphern – »Belagerung« und
»Schleuse« – nicht unterschiedliche Koppelungen zwischen
Systemen und Lebenswelt? Nach dem Belagerungsmodell
scheint Demokratie nicht viel mehr zu sein als die Begren-
zung der Imperative einer kapitalistischen Wirtschaft und
eines paternalistischen Sozialstaates ... Erlaubt das Schleu-
senmodell nicht eine viel weitergehende Demokratisierung
von Wirtschaft und politische Verwaltung als das Belage-
rungsmodell?

Das Bild der »Belagerung« der bürokratischen Macht
öffentlicher Verwaltungen durch die kommunikative Macht
der Bürger habe ich seinerzeit eingeführt, um der klassischen Vorstellung von Revolution – der Eroberung und
Zerschlagung der staatlichen Gewalt – entgegenzutreten.
Die entfesselten kommunikativen Freiheiten der Bürger
sollen im »öffentlichen Vernunftgebrauch«, wie Rawls mit
Kant sagt, effektiv werden. Aber der »Einfluß« der in der
politischen Öffentlichkeit konkurrierenden Meinungen
und die im Horizont der Öffentlichkeit nach demokratischen Verfahren gebildete kommunikative Macht können
nur effektiv werden, wenn sie ohne Eroberungsabsichten
auf die administrative Macht einwirken, um sie zu program-
mieren und zu kontrollieren. Andererseits ist das Modell
der Belagerung zu defaitistisch, jedenfalls dann, wenn man
die Gewaltenteilung so versteht, daß die recht*anwenden-*
den Instanzen der Verwaltung und der Justiz nur einen
beschränkten Zugriff auf jene Gründe haben sollen, die die
gesetzgebenden Instanzen zur Rechtfertigung ihrer Beschlüsse auf ganzer Breite mobilisieren. Heute sind die rege-

lungsbedürftigen Materien oft von der Art, daß sie vom politischen Gesetzgeber nicht bestimmt genug ex ante geregelt werden können. In diesen Fällen fallen der Verwaltung und der Justiz Aufgaben der Konkretisierung und der Rechtsfortbildung zu, die eher Begründungs- als Anwendungsdiskurse erfordern. Diese implizite Nebengesetzgebung macht dann aber auch andere Formen der Beteiligung nötig, wenn sie legitim sein soll – ein Stück demokratischer Willensbildung muß dann in die Verwaltung selbst einwandern, und die rechtsfortbildende Justiz muß sich vor erweiterten Foren der Rechtskritik rechtfertigen. Insofern rechnet das Schleusenmodell mit einer weitergehenden Demokratisierung als das Belagerungsmodell.

Frage: Sie machen einen Unterschied zwischen Politik als Meinungs- und Willensbildung und Politik als Verwaltung. Diese zwei Formen der Politik korrespondieren mit einer begrifflichen Differenzierung von politischer Macht in kommunikative und administrative Macht. Es scheint eine Voraussetzung moderner Demokratien zu sein, daß das Parlament und die politischen Parteien wichtige Institutionen der Meinungs- und Willensbildung sind. Aber politische Parteien beherrschen heutzutage zum großen Teil das Parlament und sind primär auf den Erwerb von Regierungsmacht orientiert. Aus verschiedenen soziologischen Studien geht hervor, daß die Professionalisierung der Politik, die wachsende Kluft zwischen Repräsentanten und Repräsentierten und die Kommerzialisierung der Wahlkämpfe zu einer mehr strategischen Haltung moderner Politiker geführt haben. Der Raum für eine deliberative Politik wird dadurch immer kleiner. Inwiefern kann man heute noch das Parlament und die politischen Parteien als Institutionen der Meinungs- und Willensbildung verstehen? Und wie könnte man – um mit Klaus von Beyme zu sprechen – die politische Klasse im Parteienstaat angesichts eines Populismus von »oben« und

»unten« noch nach dem Prinzip einer radikalen Demokratie kontrollieren? Erscheint es nicht nötig, daß das politische System gerade im Hinblick auf die Aufrechterhaltung seiner Eigendynamik weiter demokratisiert wird, d. h. daß mehr Raum für die kommunikative Macht geschaffen wird?

Diese Konsequenz wollte ich mit meiner Analyse nahelegen. Soweit die politischen Parteien inzwischen verstaatlicht sind, soweit deren demokratische Substanz im Inneren aufgezehrt ist, handeln sie aus der Perspektive des administrativen Systems, innerhalb dessen sie Machtpositionen bezogen haben und erhalten wollen. Die Funktion, die sie in erster Linie wahrnehmen müßten, nämlich die Artikulation und Vermittlung politischer Meinungs- und Willensbildung, erfüllen sie dann nur noch in der Form von Werbekampagnen. Als Invasoren dringen sie dann von außen in die politische Öffentlichkeit ein, statt aus deren Mitte zu agieren. Die verschiedenen Funktionen, die die politischen Parteien erfüllen, müssen stärker voneinander differenziert werden. Der symbolische Ort der Politik soll – wie Lefort mit Recht sagt – in der Demokratie leer bleiben; aber er bleibt nur vakant, wenn die demokratischen Parteiführer als Volksvertreter und nicht als amtierende oder potentielle Verwaltungschefs angesehen werden. Das verlangt institutionelle Phantasie; die institutionellen Vorkehrungen, die die politischen Parteien stärker zu »Mitwirkenden« an der politischen Willensbildung machen und davon abhalten könnten, als Staatsorgane zu handeln, müßten auf allen Ebenen ansetzen – vom Organisationsteil der Verfassung über plebiszitäre Elemente bis zu den Parteisatzungen.

Frage: In Ihrem Aufsatz Technik und Wissenschaft als Ideologie *schreiben Sie, daß seit Ende des vorigen Jahrhunderts »eine wachsende Interdependenz von Forschung und Technik die (...) Wissenschaft zur ersten Produktivkraft gemacht hat« (S. 74). Dennoch sind wissenschaftliche und technologische Entwicklungen von der Möglichkeit einer demokratischen Mitsprache und Kontrolle weitgehend ausgeschlossen. Entscheidungen, die innerhalb des Bereichs Wissenschaft und Technik getroffen werden und deren Umsetzung unvorhersehbare, z.T. ungewollte Folgen für alle Menschen haben können (z.B. Nuklear- und Gentechnologie), werden nur selten den Prinzipien der Demokratie unterworfen. Angesichts einer Verwissenschaftlichung politischer Entscheidungen und des großen Interesses der Wirtschaft an technischem »know how« liegt die Gestaltung vieler Bereiche der Gesellschaft zum großen Teil in den Händen von Experten. Es stellt sich die Frage, wie die Definitionsmacht demokratisch kontrolliert und gebändigt werden könnte, damit die Gefahr einer Expertokratie ausgeschlossen wird. Es ist bemerkenswert, daß Sie in Ihren frühen Werken explizit auf Themen wie »das Verhältnis von Technik und Demokratie«, »verwissenschaftlichte Politik und öffentliche Meinung« oder »die Gefahr einer Expertokratie« eingingen, die in Ihrem neuerdings entwickelten Modell des politischen Machtkreislaufs überhaupt keinen systematischen Stellenwert haben. Gibt es dafür einen Grund? Wo würden Sie die Definitionsmacht von Wissenschaft und Technik innerhalb Ihres Modells des politischen Machtkreislaufs verorten? Wie könnte und müßte die Gefahr einer Expertokratie eingedämmt werden?*

Die Ausdifferenzierung der Expertenkulturen, die ich in der *Theorie des kommunikativen Handelns* beschrieben habe, bringt gegenläufige Risiken mit sich – die Gefahr einer introvertierten Abkapselung, die die Ausbreitung kulturellen Wissens hemmt und die kommunikative Alltagspraxis austrocknen läßt, einerseits und andererseits eine Dominanz von Entscheidungen, die demokratisch getroffen werden müßten, durch Sachverständige, also die Gefahr der

Expertokratie, die Sie im Auge haben. Die Definitionsmacht von Wissenschaft und Technik bildet in diesem Zusammenhang gewiß ein relevantes Thema. Ich bin darauf in meinem letzten Buch nicht eingegangen, weil heute, anders als in den sechziger Jahren, in den Sozialwissenschaften Technokratietheorien keine Rolle mehr spielen und weil heute, anders als in den siebziger Jahren, auch in der Politik Planungseuphorie und Wissenschaftsgläubigkeit verflogen sind. In der breiteren Öffentlichkeit sind wissenschaftskritische Einstellungen fast schon zur Mode geworden. Dieser Stimmungsumschwung hat positive Folgen gehabt, wie die Sensibilisierung für Gefahren der Atom- und Gentechnologie zeigt. Die Abschätzung von Technikfolgen ist in verschiedenen Arenen wirksam thematisiert worden. Dabei hat sich eine Praxis von Gegenexpertisen eingebürgert, die dem Umstand Rechnung trägt, daß »die« Wissenschaft selbst keine neutrale Instanz ist: Der Wissenschaftsbetrieb ist alles andere als monolithisch – er zerfällt in viele konkurrierende, auch durch Wertsetzung imprägnierte Auffassungen. Diese Ansätze zur politikbezogenen Alternativforschung sollten ausgebaut und in der Öffentlichkeit wie im parlamentarischen Betrieb stärker zur Geltung gebracht werden. Es gibt keine noch so spezielle Frage, die, soweit sie politisch relevant wird, nicht übersetzt werden könnte, und zwar so angemessen, daß die von den Experten behandelten Alternativen auch in einer breiteren Öffentlichkeit rational verhandelt werden könnten. In der Demokratie kann es kein politisches Privileg des Sachverstandes geben.

Frage: In der Theorie des kommunikativen Handelns behaupten Sie, daß es ein unauflösliches Spannungsverhältnis zwischen Kapitalismus und Demokratie gibt (S. 507). Das in demokratischen Verfassungsgrundsätzen ausgedrückte Selbstverständnis moderner Gesellschaften impliziert de jure das Primat der Lebenswelt gegenüber den

Subsystemen Wirtschaft und Staat. Dieses Primat wird aber de facto durch die Neutralisierung sozialer Ungleichheiten, die dem Kapitalismus eingeschrieben sind, in Form paternalistisch von seiten des Staats verliehenen sozialen Leistungen untergraben. Die mit der Staatsbürgerrolle verbundenen Möglichkeiten politischer Teilnahme werden von den Bürgern oftmals nicht mehr gesehen beziehungsweise nicht wahrgenommen. Wenn wir es recht sehen, liegt in Faktizität und Geltung *der Akzent eher auf der Achse »Lebenswelt – Staat« als auf der Achse »Lebenswelt – Wirtschaft«. Im Vergleich zu früheren Arbeiten widmen Sie in diesem Buch dem Problem, wie die destruktiven Kräfte der kapitalistischen Ökonomie demokratisch zu bändigen wären, wenig Raum. Dabei gibt es Anzeichen dafür, daß das Ende des real existierenden Sozialismus der Kapitalismuskritik – wie die Arbeiten von u. a. Friedrich Kambartel und Claus Offe über Marktsozialismus und die Garantie eines Grundeinkommens zeigen – eine neue Schubkraft geben kann. Ist der Respekt, den Sie für die systemische Eigendynamik einer über Märkte gesteuerten Ökonomie haben, kompatibel mit Ihren Vorstellungen von einer deliberativen Politik und einer ökologischen Zähmung des Kapitalismus? Wird aufgrund des Spannungsverhältnisses zwischen Kapitalismus, Ökologie und Demokratie nicht eine Differenzierung des Begriffs der Eigendynamik in eine positiv-entlastende Eigendynamik und eine negativ-destruktive Eigendynamik nötig? In welchem Verhältnis stehen Ihrer Meinung nach Kapitalismus, Ökologie und Demokratie? Könnte man nicht angesichts einer fortschreitenden Umweltzerstörung und einer Gesellschaft, in der die zu verteilende Arbeit immer knapper wird, mit Hilfe des von Ihnen entwickelten Systems der Grundrechte ein rechtlich garantiertes Grundeinkommen rechtfertigen, das Grundrecht auf gleiche Lebensbedingungen als Rechtfertigung eines Grundeinkom-*

mens heranziehen? Ist nicht angesichts des »Endes der Arbeitsgesellschaft« (André Gorz) ein Grundeinkommen erforderlich, um das für eine gut funktionierende Demokratie unerläßliche Maß an Selbstrespekt und Autonomie zu gewährleisten?

Die in der *Theorie des kommunikativen Handelns* entwickelte Analyse der gesellschaftlichen Modernisierung hatte den Sinn, genau die Unterscheidung zu präzisieren, die Sie nennen. Man muß die Differenzierungsgewinne einer kapitalistischen Ökonomie anerkennen, ohne jene sozialen, kulturellen und ökologischen Kosten entweder zu unterschlagen oder als Naturschicksal hinzunehmen, welche eine bestimmte Organisation der wirtschaftlichen Produktion verursacht. Ich interessiere mich für Austauschprozesse zwischen Lebenswelt und System in beiderlei Richtung – sowohl für die kolonisierenden Übergriffe des Mediums Geld auf kommunikativ strukturierte Lebensbereiche als auch für die Möglichkeiten, die destruktive Eigendynamik des Wirtschaftssystems zugunsten lebensweltlicher Imperative einzudämmen. Aus diesem theoretischen Blickwinkel konnte übrigens auch der Bankrott des Staatssozialismus, also des Versuchs, die Steuerungsfunktionen des Geldes weitgehend durch Administration zu ersetzen, keine Überraschung sein; das soll nicht heißen, daß mich die historischen Ereignisse von 1989 nicht überrascht hätten.

Andererseits waren die in der marxistischen Tradition entwickelten Gesellschaftstheorien zu sehr auf bloße Krisenanalysen angelegt, so daß heute konstruktive Modelle fehlen. Den destruktiven Folgen eines weltweit ausgebreiteten Kapitalismus, auf dessen Produktivität wir nicht verzichten wollen, stehen wir ja alle einigermaßen ratlos gegenüber. Das erklärt die erneute Aktualität der rein normativ ansetzenden Modelle für einen »Marktsozialismus«. Diese Modelle nehmen den richtigen Gedanken auf, die effektiven

Steuerungsleistungen und Innovationsanreize einer Markt-
wirtschaft beizubehalten, ohne die negativen Folgen einer
systematisch reproduzierten Ungleichverteilung von bads
and goods in Kauf zu nehmen. Die Krux aller dieser Modelle sind freilich die schwindenden Eingriffsmöglichkei-
ten. Die politische Handlungsfähigkeit der alten Nationalstaaten, auch der neueren Staatenvereinigungen und der auf
Dauer gestellten internationalen Konferenzen steht ja in
keinem Verhältnis zur Selbststeuerung der global vernetzten
Märkte. Die Probleme einer längst überfälligen Reorganisa-
tion weltwirtschaftlicher Beziehungen werfen deshalb ein
neues Licht auf den desolaten Zustand der internationalen
Beziehungen, die Rolle der UNO und anderer Weltorgani-
sationen.

Die in den achtziger Jahren diskutierte Idee eines Grundeinkommens hat gewiß den interessanten Aspekt, daß die
materielle Basis für die Selbstachtung und die politische
Autonomie des Staatsbürgers unabhängig gemacht würde
von dem mehr oder weniger kontingenten Erfolg der Pri-
vatperson auf dem Arbeitsmarkt. Aber diese Dinge können
wohl nur sinnvoll im Zusammenhang mit den komplizier-
ten Aufgaben einer Rekonstruktion des vom Abbau bedrohten Sozialstaates beurteilt werden.

*Frage: Die Kritik der Dissidenten und die friedlich operie-
renden Bürgerbewegungen in Ost- und Mitteleuropa lagen
an der Basis der revolutionären Ereignisse des Jahres 1989
und haben dazu beigetragen, daß der Begriff »Zivilgesellschaft« unter Intellektuellen im Westen in kürzester Zeit en
vogue war. Dieser Begriff hat durch die Dissidenten und
Bürgerbewegungen eine positive Konnotation bekommen.
Sie verstehen unter Zivilgesellschaft »jene nicht-staatlichen
und nicht-ökonomischen Zusammenschlüsse und Assoziationen auf freiwilliger Basis, die die Kommunikationsstruk-
turen der Öffentlichkeit in der Gesellschaftskomponente der*

Lebenswelt verankern. Die Zivilgesellschaft setzt sich aus jenen mehr oder weniger spontan entstandenen Vereinigungen, Organisationen und Bewegungen zusammen, welche die Resonanz, die die gesellschaftlichen Problemlagen in den privaten Lebensbereichen finden, aufnehmen, kondensieren und lautverstärkend an die politische Öffentlichkeit weiterleiten« (Faktizität und Geltung, S. 443). *Von der politischen Öffentlichkeit behaupten Sie, daß sie sich nur auf eine zivilgesellschaftliche Basis stützen kann, »die aus Klassenschranken hervorgetreten ist und die jahrtausendealten Fesseln gesellschaftlicher Stratifikation und Ausbeutung abgeworfen hat«* (Faktizität und Geltung, S. 374). *Provozieren Sie hiermit nicht eine empirische Kritik, die darauf hinweisen würde, daß die Öffentlichkeit nicht nur beherrscht wird durch die Medienmacht, sondern daß ihre zivilgesellschaftliche Basis immer noch durch Ungleichheiten nach Klasse und Geschlecht gekennzeichnet ist, die durch die neue Armut eher größer als kleiner geworden sind? Muten Sie den Bürgern mit Ihren Ideen über eine demokratische Öffentlichkeit nicht eine post-konventionelle Ich-Identität zu, die den Persönlichkeitsstrukturen der meisten Bürger nicht entspricht? Das Echo, das Schirinowski in Rußland, Le Pen in Frankreich, Schönhuber in Deutschland und Alessandra Mussolini in Italien finden, bestärkt uns in der Idee, daß viele Bürger eher eine konventionelle Ich-Identität haben. Der nationalistische Regreß macht deutlich, daß von der Zivilgesellschaft nicht nur demokratische Impulse ausgehen. Der Begriff der Zivilgesellschaft hat durch den rechten Druck der Straße jetzt auch eine negative Konnotation bekommen ... Wie könnte man aufgrund Ihrer Diskurstheorie des Rechts und des demokratischen Rechtsstaates die undemokratische von den demokratischen Impulsen der Zivilgesellschaft unterscheiden und kritisieren?*

Nun, zwischen populistischer Massenmobilisierung in

totalitären Staaten und demokratischen Bewegungen aus der Mitte einer Zivilgesellschaft kann man, wenn es um die Diagnose geht, gerade unter kommunikationstheoretischen Gesichtspunkten trennscharf unterscheiden. Schon Hannah Arendt hat in ihrem klassischen Buch über *Elemente und Ursprünge totalitärer Herrschaft* auf die wichtige Rolle hingewiesen, die in diesem Zusammenhang die Strukturen der Öffentlichkeit spielen. Kommunikative Macht bildet sich nur in Öffentlichkeiten, die intersubjektive Beziehungen auf der Basis wechselseitiger Anerkennung herstellen und den Gebrauch kommunikativer Freiheiten, also spontane Ja-/Nein-Stellungnahmen zu frei flottierenden Themen, Gründen und Informationen, ermöglichen. Wenn diese individualisierenden Formen einer unversehrten Intersubjektivität zerstört sind, entstehen Massen isolierter, »voneinander verlassener« Einzelner, die dann, von plebiszitären Führern indoktriniert und in Bewegung gesetzt, zu Massenaktionen veranlaßt werden können. Arendts Analyse war noch auf die Bewegungsformen von Kollektiven zugeschnitten, wie wir sie von den klassischen Massendemonstrationen und Massenstreiks, von der Massenregie der Reichsparteitage und militarisierten Aufmärschen aus der ersten Hälfte unseres Jahrhunderts kennen. Im nach-totalitären Zeitalter Berlusconis ist das Bild der bewegten Massen hinter dem der elektronisch miteinander vernetzten Zuschauer zurückgetreten – selbst 1989 sind jene Massen, die auf den Plätzen vor den Partei- und Regierungsgebäuden revoltiert haben, vor laufenden Fernsehkameras zu Gästen einer Live-Sendung umfunktioniert worden. So sind die Bilder des totalen Staates zwar verschwunden, aber erhalten geblieben ist das destruktive Potential einer *neuen Art* der Vermassung. Auch in der Medienöffentlichkeit bestehen noch Strukturen, die den horizontalen Austausch spontaner Stellungnahmen, also den Gebrauch kommunikativer Freiheiten, blockieren und die zugleich die vereinzelten und privatisierten Zuschauer für eine entmündigende Kollektivierung ihrer Vorstellungswelten anfällig machen. Von solchen *formierten* Öffentlichkeiten, die als Foren plebiszitärer Legitimation dienen, unterscheiden sich liberale Öffentlichkeiten dadurch, daß sie die Autorität des *stellungnehmenden* Publikums zum Zug bringen. Wenn ein *Publikum* in Bewegung gerät, marschiert es nicht, sondern bietet das Schauspiel anarchisch entfesselter kommunikativer Freiheiten. In den zugleich dezentrierten und porösen Öffentlichkeitsstrukturen können die verstreuten kritischen Potentiale zusammengeführt, aktiviert und gebündelt werden. Dazu bedarf es gewiß einer zivilgesellschaftlichen Grundlage. Soziale Bewegungen können dann die Aufmerksamkeit auf bestimmte Themen richten und bestimmte Beiträge dramatisieren. Dabei verkehrt sich das Abhängigkeitsverhältnis der Massen vom populistischen Führer ins Gegenteil: Die Spieler in der Arena verdanken ihren Einfluß der Zustimmung einer in Kritik geübten Galerie.

Natürlich braucht eine liberale Öffentlichkeit ein freies Assoziationswesen, eine gezähmte Medienmacht, die politische Kultur einer an Freiheit *gewöhnten* Bevölkerung, sie braucht das Entgegenkommen einer mehr oder weniger rationalisierten Lebenswelt. Dem entsprechen postkonventionelle Ich-Identitäten auf seiten der Persönlichkeitsstrukturen. Sie wenden nun ein, daß wir selbst in den westlichen Demokratien mit einem ganz anderen Bewußtseinszustand rechnen müssen. Es bestehen immer noch Dispositionen, die erhebliche Teile einer unter Streß geratenen Bevölkerung für die Le Pens und Schönhubers, für Nationalismus und Xenophobie anfällig machen. Diese Tatsachen sind nicht zu bestreiten. Aber wogegen bilden sie einen Einwand? Denn es ist ja nicht der Philosoph, der im Namen seiner normativen Theorie mit der Geste ohnmächtigen

Sollens ein postkonventionelles Bewußtsein fordert und sich so gegen eine menschliche Natur versündigt, die die pessimistische Anthropologie immer schon gegen die Traumtänzereien von Intellektuellen ins Feld geführt hat. Wir rekonstruieren nur das in die Praxis selbst eingewanderte Sollen und brauchen nur zu konstatieren, daß im positiven Recht und im demokratischen Rechtsstaat, also in den bestehenden Praktiken selbst Prinzipien verkörpert sind, die auf eine postkonventionelle Begründung angewiesen und insofern auf das öffentliche Bewußtsein einer liberalen politischen Kultur zugeschnitten sind. Dieses normative Selbstverständnis trägt in unsere Verhältnisse, die nicht so sind, wie sie sein sollen, eine gewisse Dynamik hinein: Wir verstehen die Verfassung als ein Projekt, das wir weitertreiben – oder entmutigt aufgeben können.

Frage: In Faktizität und Geltung *betrachten Sie die ideale Kommunikationsgemeinschaft als Modell »reiner« kommunikativer Vergesellschaftung. Dabei betonen Sie, daß man den diskursiven Charakter der für die Demokratie lebensnotwendigen öffentlichen Meinungs- und Willensbildung nicht mißverstehen soll, indem man den idealen Gehalt allgemeiner Argumentationsvoraussetzungen zu einem Modell reiner kommunikativer Vergesellschaftung hypostasiert. Nun beruht die Idee einer idealen Kommunikationsgemeinschaft auf Idealisierungen. Unseres Erachtens kann man die Idealisierungen auf (mindestens) zwei Weisen interpretieren. So können die Voraussetzungen, die Menschen immer machen, wenn sie Geltungsansprüche erheben – dazu gehört, daß ihre Argumente andere überzeugen und vorläufig nicht widerlegt werden –, als Idealisierungen interpretiert werden. Bei diesen Idealisierungen ist natürlich nicht ausgeschlossen, daß es Argumente gibt, die die Menschen dazu veranlassen können, ihre Geltungsansprüche zu revidieren. Nach einer zweiten Interpretation können Idealisierungen sich auf einen endgültigen Konsens beziehen und auf die damit verbundenen Kommunikationsvoraussetzungen einer idealen Kommunikationsgemeinschaft, die Menschen antizipieren, wenn sie Geltungsansprüche erheben. Albrecht Wellmer hat darauf hingewiesen, daß die letztgenannte Interpretation von Idealisierungen sinnwidrig ist. Wenn an einem zukünftigen Zeitpunkt in der Geschichte die ideale Kommunikationsgemeinschaft erreicht werden sollte, dann würde das das Ende jeder Form menschlicher Kommunikation bedeuten. In einer idealen Kommunikationsgemeinschaft werden die Bedingungen der Möglichkeit dessen, was idealisiert wird, negiert. Trotz dieser Kritik halten Sie am Konzept der idealen Kommunikationsgemeinschaft fest. Die ideale Kommunikationsgemeinschaft dient als Folie, um Abweichungen vom Modell reiner kommunikativer Vergesellschaftung wahrzunehmen und zu artikulieren* (Faktizität und Geltung, S. 395). *Damit kann man die unvermeidlichen Trägheitsmomente, die Meinungs- und Willensbildungsprozessen inhärent sind, z. B. Asymmetrien in der Verfügung über Information sowie eine ungleiche Verteilung von Kompetenzen und Kenntnissen, sichtbar machen. Das Modell reiner kommunikativer Vergesellschaftung kann, wenn wir es richtig sehen, zwei verschiedene Funktionen haben: es kann erstens behilflich sein, wenn man die unvermeidlichen Trägheitsmomente ans Licht bringen will, und es kann zweitens als normativer Maßstab für eine Kritik der bestehenden Machtverhältnisse in der politischen Öffentlichkeit gebraucht werden. Braucht man überhaupt das Konzept einer idealen Kommunikationsgemeinschaft, um, wie Sie behaupten, die unvermeidlichen Trägheitsmomente zu identifizieren? Reichen dazu die herkömmlichen soziologischen Mittel oder die Philosophie eines Foucault nicht aus? Und sorgen die verschiedenen Globalisierungsprozesse nicht ohnehin dafür, daß sich universelle normative Maßstäbe auskristalli-*

sieren, die für eine Gesellschaftskritik freilich unentbehrlich sind? Führt, mit anderen Worten, das wachsende Ausmaß an kulturellen, ökologischen und wirtschaftlichen Interdependenzen nicht sowieso zur Entwicklung einer gemeinschaftlichen Sprache, »die für die Wahrnehmung und Artikulation gesamtgesellschaftlicher Relevanzen und Maßstäbe nötig ist« (Faktizität und Geltung, S. 427)? Könnte man nicht auch ohne das Konzept einer idealen Kommunikationsgemeinschaft auskommen und einfach an der vorher genannten ersten Intepretation von Idealisierungen festhalten?

Wenn man Lebenswelt und kommunikatives Handeln als Komplementärbegriffe einführt und sagt, daß sich die Lebenswelt durch das kommunikative Handeln hindurch reproduziert, dann bürdet man den Werten, den Normen und vor allem dem verständigungsorientierten Sprachgebrauch eine Integrationslast auf, die diese nur in einer Gesellschaft tragen könnten, die dem intentionalistischen Modell reiner kommunikativer Vergesellschaftung genügt. Gegen diesen hermeneutischen Idealismus habe ich mich schon in der *Theorie des kommunikativen Handelns* gewehrt. Jetzt habe ich mit Bernhard Peters (*Die Integration moderner Gesellschaften*, Frankfurt/Main 1993) einen anderen Weg eingeschlagen, um gegen ein solches idealistisches Mißverständnis von gesellschaftlicher Integration, das manche Leute fälschlich mir zuschreiben, Bedenken vorzutragen. Bedenken dieser Art könnte man auch in der systemtheoretischen Sprache Luhmanns oder in der machttheoretischen Sprache Foucaults ausdrücken. Statt dessen mache ich einen methodologischen Gebrauch von der »idealen Kommunikationsgemeinschaft«, um die unvermeidlichen Trägheitsmomente der Gesellschaft sichtbar zu machen. Das kann nicht der strittige Punkt sein.

Im übrigen kritisiere ich mit Wellmer die von Peirce und Apel vorgebrachte Vorstellung einer idealen Kommunikationsgemeinschaft ebenso wie meine eigene Rede von der »idealen Sprechsituation« als Beispiele einer fallacy of misplaced concreteness. Diese Bilder sind konkretistisch, weil sie einen in der Zeit erreichbaren Endzustand suggerieren, der nicht gemeint sein kann. Aber ich beharre auf dem idealisierenden Gehalt der unvermeidlichen pragmatischen Voraussetzungen einer Praxis, in der nur das bessere Argument zum Zug kommen soll. Nach der Preisgabe des Korrespondenzbegriffs der Wahrheit kann man nämlich den unbedingten Sinn von Wahrheitsansprüchen nur noch mit Bezug auf eine »Rechtfertigung unter idealen Bedingungen« (Putnam) erklären.

Wenn wir den Sinn von »Wahrheit« in Begriffen der Rechtfertigung analysieren, müssen wir vermeiden, Wahrheit mit rationaler Akzeptabilität gleichzusetzen; was einmal rationalerweise für wahr gehalten wurde, kann sich als falsch herausstellen. »Wahr« nennen wir eine Aussage, wenn wir überzeugt sind, daß sie auch in Zukunft allen Einwänden standhalten wird – was nicht ausschließt, daß wir uns geirrt haben können. Aber nur wenn wir Sätze, ungeachtet ihrer Fallibilität, *unbedingt* für wahr halten, sind wir auch bereit, auf der Basis dieser Überzeugungen Brücken zu bauen und Flugzeuge zu besteigen, überhaupt die Risiken des Handelns auf uns zu nehmen. Dieser Sinn von Unbedingtheit, der die Differenz zwischen Wahrheit und rationaler Akzeptabilität zum Ausdruck bringt, läßt sich aber in Begriffen der Rechtfertigung nur dadurch ausdrücken, daß wir unsere Praxis der Rechtfertigung, d. h. unsere Argumentation, als Bestandteil einer in einigen Hinsichten idealen Veranstaltung verstehen: Unsere Überzeugungen müssen sich auch heute schon im Lichte der besten aller verfügbaren Informationen und Gründe zwanglos, das heißt einzig unter dem zwanglosen Zwang des besseren Arguments, bilden können. An der Stelle, auf die Sie anspielen (*Faktizität und Geltung*, S. 392), heißt es in diesem Sinne: »Die kontrafaktischen Voraussetzungen, von denen Argumentationsteilnehmer ausgehen müssen, eröffnen zwar eine Perspektive, aus der sie die im Handeln und Erleben unentrinnbare Provinzialität ihrer raumzeitlichen Kontexte... übersteigen, also dem Sinn *transzendierender* Geltungsansprüche gerecht werden können. Aber mit den transzendendierenden Geltungsansprüchen versetzen sie sich nicht selbst ins transzendentale Jenseits eines idealen Reichs intelligibler Wesen.«

Auf solche Argumentationsformen, in denen Geltungsansprüche *diskursiv* eingelöst werden können, muß ich mich freilich auch beziehen, wenn sich die Legitimität des Rechts Eigenschaften des demokratischen Prozesses der Rechtsetzung verdanken soll. Das demokratische Verfahren begründet eine *Vermutung* auf die Vernünftigkeit verfahrenskonform zustande gekommener Ergebnisse nur dann, wenn und soweit es, zusammen mit der rechtlichen Institutionalisierung entsprechender Argumentationsformen (und Verhandlungen), eine im erwähnten Sinne diskursive Meinungs- und Willensbildung garantiert. Überzeugende normative Maßstäbe bilden sich nur unter solchen Bedingungen heraus. Sie ergeben sich nicht als pure Folge von Globalisierungsprozessen naturwüchsig.

Frage: Die politische Öffentlichkeit ist nur formal gesehen ein Ort der Gleichheit, d. h. daß der gleiche rechtliche Status, den jeder Bürger oder jede Bürgerin in einem bestimmten Staat haben, noch nicht bedeutet, daß die gleichen Möglichkeiten bestehen, die Meinungs- und Willensbildungsprozesse zu beeinflussen. Die politische Macht ist immer noch nach Klasse, Geschlecht und ethnischer Zugehörigkeit ungleich verteilt. Das Entstehen einer Unterklasse von Armen in vielen demokratischen Staaten, die Unterbeteiligung von Frauen in der Politik und die Krawalle, die in

Los Angeles nach dem Urteil über die Polizisten, die Rodney King mißhandelt hatten, ausbrachen, sind dafür Beispiele. Inwiefern kann man mit Ihrer formalen Theorie des politischen Kampfes nicht nur einer kommunitaristischen, sondern auch einer marxistischen Kritik am liberalen Formalismus entgegentreten? Wie stehen Sie zu einer Quotenregelung z. B. für Frauen oder Angehörige von ethnischen Minderheiten, um deren Möglichkeiten, an der politischen Macht teilzunehmen, zu vergrößern?

Die Anerkennungskämpfe im demokratischen Rechtsstaat haben nur in dem Maße legitimierende Kraft, wie alle Gruppen Zugang zur politischen Öffentlichkeit finden, alle ihre Stimme erheben, ihre Bedürfnisse artikulieren können, niemand marginalisisiert oder ausgeschlossen wird. Schon unter diesem Gesichtspunkt der Repräsentation und der »Staatsbürgerqualifikation« ist es wichtig, die faktischen Voraussetzungen für eine chancengleiche Nutzung formal gleicher Rechte zu sichern. Dies gilt aber nicht nur für die politischen Teilnahme-, sondern auch für die sozialen Teilhabe- und die privaten Freiheitsrechte; denn niemand kann politisch autonom handeln, für den nicht die Entstehungsbedingungen seiner privaten Autonomie gewährleistet sind. In diesem Zusammenhang bin ich auch für Quotenregelungen, z. B. für eine Politik des »preferred hiring« in allen Sektoren der Ausbildung und der Beschäftigung, wo nur so der »faire Wert« gleicher Rechte für historisch und strukturell benachteiligte Gruppen gesichert werden kann. Diese Maßnahmen sollen einen »Aufholeffekt« erreichen und haben deshalb einen temporären Charakter.

Frage: Achtet man auf die Zugehörigkeitskriterien in modernen Demokratien, dann sind die Menschen Mitglieder einer bestimmten Gesellschaft, die Bürgerrechte haben. Somit bezieht sich Volkssouveränität auf alle Menschen, die innerhalb einer bestimmten Gesellschaft Bürgerrechte ha-

ben. *Bürgerrechte sind exklusiv, weil sie eine Differenzierung zwischen Zugehörigen und Nicht-Zugehörigen, Bürgern und Fremden mit sich bringen. Da moralisch begründeten Menschenrechten der Bezug zu einer bestimmten Gesellschaft fehlt, unterscheiden sie sich von Bürgerrechten. Menschenrechte sind inklusiv, weil sie im Gegensatz zu Bürgerrechten, die in der Regel an das Territorium eines Nationalstaats gebunden sind, einen transnationalen, universellen Charakter haben. In der politischen Philosophie gibt es bis auf den heutigen Tag – die Debatte zwischen Liberalen und Kommunitaristen bezeugt dies – eine Auseinandersetzung über die Frage, ob Menschenrechte und Bürgerrechte in einem Konkurrenzverhältnis zueinander stehen oder ob sie sich wechselseitig begründen. Wie in dem durch Sie diskurstheoretisch begründeten System der Grundrechte zum Ausdruck kommt, gibt es Ihrer Meinung nach einen internen Zusammenhang zwischen Menschenrechten und Bürgerrechten. Dieser »liegt im normativen Gehalt eines Modus der Ausübung politischer Autonomie, der nicht schon durch die Form allgemeiner Gesetze, sondern erst durch die Kommunikationsform diskursiver Meinungs- und Willensbildung gesichert wird« (Faktizität und Geltung, S. 133). Wenn wir es recht verstanden haben, gehen Sie bei der Ableitung des Systems der Grundrechte von der methodischen Fiktion einer Gesellschaft ohne Staat aus. In der harten Wirklichkeit ist der positiv-rechtliche Status von Menschenrechten prekär: Viele nationalstaatlichen, positiven Rechtssysteme können sich dem moralischen Druck, der von diesen Rechten ausgeht, widersetzen. So wird oft mit einem Rekurs auf die Volkssouveränität eine Situation legitimiert, die aus der Perspektive der Menschenrechte – und die Asyldebatte ist dafür ein Beispiel – verwerflich ist. Somit ergibt sich die Frage, wie man eine Brücke zwischen dem von Ihnen begründeten internen Zusammenhang zwischen Bür-*

gerrechten und Menschenrechten einerseits und dem fakti-
schen Spannungsfeld zwischen beiden andererseits schlagen
könnte. Sehen Sie Ihr System von Rechten als eine kritische
Folie, um den prekären, positivrechtlichen Status von Men-
schenrechten anzuprangern? Und gibt es, solange noch keine
Weltgesellschaft existiert, eine moralische Hierarchie zwi-
schen Bürgerrechten und Menschenrechten? Haben »Men-
schenwürde« und »körperliche Unversehrtheit« nicht in be-
stimmten Situationen, wir denken zum Beispiel an den
durch den heißen Krieg abgelösten kalten Krieg im ehemali-
gen Jugoslawien, einen Vorrang vor Volkssouveränität? Ist
der Status der Menschenrechte nicht abhängig von der Ver-
wirklichung von Weltbürger-Rechten und von der Monopo-
lisierung der Gewalt auf mondialer Ebene?

Das sind mehrere Fragen auf einmal. Zunächst einmal
unterscheide ich moralisch begründete *Menschen*rechte von
juristischen Menschen*rechten*, die über unsere Verfassungen positive Geltung erlangt haben, also mit der Garantie
versehen sind, innerhalb der jeweils geltenden Rechtsordnung mit staatlicher Sanktionsgewalt durchgesetzt zu werden. Wegen ihres universellen menschenrechtlichen Gehal-
tes drängen diese Grundrechte gleichsam von sich aus auf
die Realisierung eines weltbürgerlichen Zustands, in dem
die Menschenrechte weltweit den Status und die Geltung
positiven Rechts gewinnen. Ein solcher Zustand ist durch
internationale Gerichte allein nicht zu gewährleisten; dazu
bräuchten wir eine beschluß- und handlungsfähige UNO,
die bei fälligen Interventionen Streitkräfte unter *eigenem*
Kommando einsetzen kann, statt dies an Großmächte, die
sich für ihre Kriegführung die Legitimation von der UNO
bloß ausleihen, zu delegieren. Ein ganz anderer Fall liegt
vor, wenn geltende Grundrechte durch Parlamentsbeschluß
eingeschränkt und – wie bei uns im Fall des Asylrechts – de
facto ausgehöhlt werden.

Diesen Fall erwähnen Sie zweitens als Beispiel für eine ungute Konkurrenz von Menschen- und Bürgerrechten, ja für eine Unterordnung der klassischen Freiheitsrechte – life, liberty, property – unter die Souveränität des Gesetzgebers. Normativ betrachtet ist aber der politische Gesetzgeber weder in Deutschland noch anderswo befugt, absolute Grundrechte einzuschränken oder abzuschaffen. Das Verfassungsgericht kann auf dem Weg der Normenkontrolle solche Beschlüsse aufheben. Ob das neue Asylgesetz so vorsichtig formuliert ist, daß es einer verfassungsgerichtlichen Nachprüfung standhält, ist eine Expertenfrage, auf die ich mich hier nicht einlassen will.

Schließlich interessieren Sie sich für das Verhältnis von Volkssouveränität und Menschenrechten im allgemeinen. Das Beispiel des Bürgerkrieges in Bosnien ist aber nicht ganz glücklich gewählt, wenn Sie damit die Besorgnis akzentuieren wollen, daß wir vom liberalen Menschenrechtsverständnis keine Abstriche machen sollten. Ich habe in meinem Buch versucht zu zeigen, wie man der Intuition gerecht werden kann, daß die Menschenrechte weder dem souveränen Gesetzgeber übergestülpt noch für dessen Zwecke bloß instrumentalisiert werden dürfen. Private und staatsbürgerliche Autonomie setzen sich gegenseitig voraus. Und zwar erklärt sich diese Gleichursprünglichkeit von Volkssouveränität und Menschenrechten daraus, daß die Praxis der staatsbürgerlichen Selbstgesetzgebung in Form politischer Teilhaberechte institutionalisiert werden muß; das setzt aber den Status von Rechtspersonen als Träger subjektiver Rechte voraus; und eine solche Statusordnung kann es ohne die klassischen Freiheitsrechte nicht geben. Es gibt überhaupt kein positives Recht ohne diese Rechte; und das positive Recht ist eben die einzige Sprache, in der sich die Bürger gegenseitig die Teilnahme an der Praxis der Selbstgesetzgebung zusichern können.

Frage: Das zweistufige Gesellschaftskonzept, das Sie in der Theorie des kommunikativen Handelns *vorgelegt haben, gab Ihnen die Möglichkeit zur Diagnose und Kritik einer Kolonialisierung der Lebenswelt. Das Eingreifen in die symbolische Reproduktion der Lebenswelt durch die mediengesteuerten Subsysteme Wirtschaft und Staat mit monetären und bürokratischen Mitteln illustrieren Sie anhand der Verrechtlichung kommunikativ strukturierter Handlungsbereiche. Die Kolonialisierungsthese ermöglichte eine Kritik am Rechtsmedium. Es hat den Anschein, daß Sie in* Faktizität und Geltung *auf diese Kritik am Medium Recht verzichten. Welche Rolle spielen Verrechtlichungstendenzen noch in Ihrer Gesellschaftskritik? Haben Sie die Kolonialisierungsthese aufgegeben? Welche begrifflichen Mittel werden in* Faktizität und Geltung *zur Verfügung gestellt, um die negativen Effekte der Verrechtlichung in Bereichen wie Familie, Schule und Sozialpolitik zu erklären und zu kritisieren? Und wie bewerten Sie in diesem Kontext das Verlagern von politischen Entscheidungen von Parlament und Regierung zum Bundesverfassungsgericht? Ist letzteres nicht eine für die Demokratie bedrohliche Verrechtlichung der Politik?*

Ich habe mich in einem Punkt korrigiert (vgl. *Faktizität und Geltung,* S. 502): Ich glaube nicht mehr, daß die Verrechtlichung eine *unausweichliche* Folge des Sozialstaats ist. Aber Phänomene der Verrechtlichung, die ich unter dem Stichwort des »sozialstaatlichen Paternalismus« behandle, sind für mich nach wie vor relevant, weil ich zeigen will, daß die heute unter dem Stichwort »Privatrechtsgesellschaft« angepriesene Rückkehr zum liberalen Modell keinen Ausweg aus dem Dilemma bietet, daß eine paternalistisch gewährte Freiheit zugleich Freiheitsentzug bedeutet. Aus dieser Problemstellung entwickele ich das prozeduralistische Rechtsmodell: Die privaten Rechtssubjekte können in den komplexen Verhältnissen des Sozialstaats gar nicht in den

Genuß gleicher subjektiver Freiheiten gelangen, wenn sie nicht in der politischen Rolle als Mitgesetzgeber von ihren kommunikativen Freiheiten Gebrauch machen und sich am öffentlichen Streit über die Interpretation von Bedürfnissen beteiligen, so daß die Staatsbürger selbst Maßstäbe und Kriterien entwickeln, unter denen Gleiches gleich und Ungleiches ungleich behandelt werden soll.

Was nun die Verrechtlichung der Politik selbst angeht, so spielt das Verfassungsgericht insoweit eine unglückliche Rolle, als es Funktionen eines Nebengesetzgebers ausübt. Das Gericht dürfte die Verfassung nicht mit einer »konkreten Wertordnung« verwechseln und müßte bei Normenkontrollverfahren im wesentlichen über den demokratischen Charakter der Rechtsentstehung wachen, also darüber, daß in der Gesetzgebung die anspruchsvollen normativen Voraussetzungen des demokratischen Prozesses erfüllt sind. Würde unser Bundesverfassungsgericht seinen Entscheidungen ein solches prozeduralistisches Selbstverständnis zugrunde legen, hätte es beispielsweise das Abtreibungsgesetz, das der Bundestag nach einer erschöpfenden diskursiven Vorbereitung in der politischen Öffentlichkeit und nach der wiederholten, gewissenhaften Erörterung aller Argumente und Gegenargumente in den eigenen Reihen mit einer überzeugenden Mehrheit quer durch die Fraktionen verabschiedet hatte, nicht zurückweisen dürfen – jedenfalls nicht, wenn es keine *anderen* Gründe vorzuweisen hätte.

Frage: Die Bundesrepublik Deutschland hat nach 1945 eine halbwegs vernünftige Demokratie etabliert. Wir sind der Meinung, daß Grundrechte und demokratische Institutionen noch keine Garanten dafür sind, daß eine Demokratie gut funktioniert. Wenn die Bürger ihre Partizipationsmöglichkeiten nicht wahrnehmen und das Vertrauen in die Politik verloren haben – »Protestwähler« und »Politikver-

drossenheit« sind dafür Symptome –, ist die Demokratie gefährdet. Deshalb sind demokratische Lernprozesse – bedingt durch u. a. historische Erfahrungen und eine Erziehung zur Mündigkeit – unseres Erachtens für eine gut funktionierende Demokratie sehr wichtig. In Ihrem Essay Die zweite Lebenslüge der Bundesrepublik: Wir sind wieder ›normal‹ geworden *sprechen Sie von zwei Lebenslügen bzw. kollektiven Selbsttäuschungen, die die Bundesrepublik nach 1945 heimgesucht haben. Die erste Lebenslüge stammte aus der Adenauerzeit: »Wir alle sind Demokraten.« Nun behaupten Sie, daß seit 1989 eine zweite Lebenslüge im Entstehen ist: »Wir sind wieder normal geworden.« Können Sie uns erklären, was Sie unter der »zweiten Lebenslüge« verstehen, da es für Skandinavier, die nicht so gut mit der deutschen Geschichte vertraut sind, vielleicht nicht direkt verständlich ist, was Sie damit meinen? Inwiefern haben diese zwei Lebenslügen demokratische Lernprozesse in der Bundesrepublik Deutschland beeinträchtigt? Sind die Jahre 89/90 diesbezüglich nicht auch ein Einschnitt, weil während des Einigungsprozesses eine republikanische Neubegründung Deutschlands unterlassen wurde?*

Ich vermute, daß die Politikverdrossenheit, die es ja nicht nur in der Bundesrepublik gibt, verschiedene, gegenläufige und sich wechselseitig verstärkende Gründe hat. Auf der einen Seite sind die Bürger unzufrieden damit, daß sie auf den ausgetretenen Pfaden einer verstaatlichten Parteienlandschaft keine hinreichenden Möglichkeiten für ein sinnvolles politisches Engagement sehen; an den leerlaufenden Aktivitäten der Ortsvereine unserer Parteien sieht man, wieviel brachliegende Energien dort verwaltet und stillgestellt werden. Auf der anderen Seite wird dieser Wunsch nach mehr Demokratie durchkreuzt von dem autoritären Wunsch, eine überkomplexe Welt durch schlichte Rezepte und starke Männer zu vereinfachen. Diese alten Stereotype einer unpolitischen Abkehr von »Gerede« und »Parteiengezänk« erhalten schließlich Auftrieb durch Befürchtungen vor Einkommens- und Statusverlusten, die einer politisch nicht mehr beherrschten, dem Muster eines »jobless growth« folgenden wirtschaftlichen Entwicklung zugeschrieben werden. Offensichtlich ist die Politik inzwischen von den weltweit und nun auch im Inneren aufgebrochenen Problemen überfordert. Die Systemkonkurrenz mit dem Staatssozialismus hat ja nicht etwa der Kapitalismus gewonnen, sondern ein in den günstigen Konstellationen der Nachkriegszeit *sozialstaatlich gezähmter* Kapitalismus; und der ist heute in Auflösung begriffen. Diese objektiv schwierige Situation erfordert neue Lösungen, für die bisher die Phantasie nicht ausreicht.

Vor diesem allgemeinen Hintergrund hat die Bundesrepublik die Folgeprobleme eines überhasteten, administrativ und mit irreführenden Parolen durchgepaukten Anschlusses der ehemaligen DDR zu verkraften. Wie weit die soziale Desintegration fortschreiten und wie weit die Gefahr für die innere Stabilität anwachsen wird, kann heute niemand abschätzen. In der breiten Bevölkerung sind nationalistische Tendenzen angesichts der innerdeutschen Verteilungsprobleme nicht sehr ausgeprägt. Was wir beobachten, ist ein von Intellektuellen mitgetragener Elitennationalismus, der die moralische Lücke der 1990 ängstlich vermiedenen republikanischen Neugründung mit zweifelhaften Appellen und rückwärtsgewandten Konstruktionen ausfüllen will. Angst macht mir, daß die, die den politisch-kulturellen Bruch von 1945 nie wahr haben wollten, jetzt die »neue Normalität« und den »Abschied von der alten Bundesrepublik« am lautesten ausrufen. Bis 1989 hat die politische Zivilisierung der Bundesrepublik Fortschritte gemacht; die Frage ist, ob wir diesen Prozeß in der erweiterten Bundesrepublik fortsetzen können – oder ob uns die Vergangenheit wieder einholt. Ein

Glück, daß Kohl bis heute entschieden an einer schnellen europäischen Einigung festhält.

Frage: In Ihrem Artikel Staatsbürgerschaft und nationale Identität *kritisieren Sie die mangelnde Demokratie der EU, drücken aber »vorsichtig optimistische Erwartungen«* (Faktizität und Geltung, S. 650) *für die europäische Entwicklung aus. Eine Internationalisierung der Demokratie scheint aber viel schwieriger als die der Wirtschaft und der Verwaltung zu sein. Der Grund Ihres vorsichtigen Optimismus ist uns nicht ganz klar. Stellt eine Organisation wie die EU wegen ihres transnationalen Charakters nicht neue Ansprüche an die Demokratie? Wie ausgedehnt und differenziert kann eine politische Öffentlichkeit sein, ohne die einzelnen Staatsbürger angesichts der Komplexität und Unübersichtlichkeit der Gesellschaft völlig zu überfordern? Ist eine radikale Demokratie innerhalb der EU überhaupt realisierbar?*

Wir Deutschen brauchen die politische Union schon deshalb, um uns vor uns selber, vor den wiederaufsteigenden Phantasien einer »nach Osten blickenden Großmacht im Herzen Europas« zu schützen. Aus demselben Grund müßten unsere Nachbarn ein Interesse daran haben, Deutschland in eine gemeinsame Außen- und Sicherheitspolitik einzubinden. Die ist aber effektiv nur im Rahmen einer gemeinsamen europäischen Verfassung zu haben. Soweit die Widerstände in Skandinavien und anderswo nur gegen ein Europa der Brüsseler Bürokratie gerichtet sind, also gegen die *systemisch* hergestellte Einigung, der eine gemeinsame politische Lebenswelt noch nicht nachgewachsen ist, könnten sich doch solche Impulse in ein Verlangen nach einem demokratischen Europa umsetzen. Das einzige echte Hindernis besteht im Fehlen einer gemeinsamen politischen Öffentlichkeit, im Fehlen einer Arena, in der Themen *gemeinsamer Relevanz* verhandelt werden können.

Ob sich ein solcher Kommunikationszusammenhang herstellt, hängt ironischerweise von keiner Gruppe mehr ab als von den Intellektuellen selbst, die endlos über Europa räsonnieren, ohne etwas dafür zu tun.

6. Aus welcher Geschichte lernen?

1989 im Schatten von 1945
Zur Normalität einer künftigen
Berliner Republik

I.

Eine Nation feiert den Tag, an dem sie nach fast sechsjährigem Eroberungskrieg vor der Übermacht der gegnerischen Streitkräfte bedingungslos kapitulieren mußte, als Tag der Befreiung. Diese Interpretation des 8. Mai 1945, der Bundespräsident von Weizsäcker erst vor zehn Jahren zu offizieller Anerkennung verholfen hat, spiegelt eine retrospektive Erkenntnis, aber keine zeitgenössische Erfahrung. Es gab damals keine Resistance, die hätte siegen können. Der mißlungene Staatsstreich einer Elite ist kein Bürgerkrieg, aus dem eine siegreiche Partei hätte hervorgehen können. Das Empfinden der vielen einzelnen, die sich vom Terror einer Diktatur befreit fühlten, war für die Gefühlslage einer überanstrengten und ausgemergelten, durch verlustreiche Kämpfe, durch Flucht und Zerstörung ins Elend gestürzten, einer niedergeschlagenen Bevölkerung nicht repräsentativ. Die Bevölkerung war zu großen Teilen und lange genug der Parole »Ein Volk, ein Reich, ein Führer« gefolgt und hatte auch diese Komplizenschaft keineswegs vergessen. Für sie bedeutete das Kriegsende eine »Befreiung« allenfalls in dem psychologischen Sinne, daß ein Ende mit Schrecken besser ist als ein Schrecken ohne Ende. Allgemein ist der 8. Mai nicht im politischen Sinne als Befreiung erfahren worden.

Gleichwohl gedenken wir dieses Tages nicht nur mit der Trauer über die Opfer der damals von der eigenen Nation verschuldeten und von den Alliierten beendeten Barbarei. Entgegen der überwiegenden Erfahrung der Zeitgenossen feiern wir in zahlreichen öffentlichen Veranstaltungen den Tag der Kapitulation auch mit einem Element von Genugtuung über die Wende zum politisch Besseren. Freilich dürfen wir den historischen Abstand nicht ignorieren; sonst geraten wir in Versuchung, unsere Interpretation auf ein von den Nazis unterdrücktes Volk, auf die eigene Jugend oder die der Eltern und Großeltern zurückzuprojizieren. Ebensowenig dürfen wir dem Text der Befreiung vom Faschismus kurzschlüssig den rechtfertigenden Subtext eines Weltbürgerkriegs unterschieben, wonach wir immer schon »auf der richtigen Seite« gestanden hätten. Diese Linie hat zu Bitburg geführt. Wir, die Bürger der erweiterten Bundesrepublik, können den 8. Mai als »Tag der Befreiung« nur dann aufrichtig zum Ausgangspunkt einer politischen Selbstverständigung machen, wenn wir uns dieser retrospektiven Deutung zugleich als des Ergebnisses eines Jahrzehnte währenden Lernprozesses vergewissern.

Dieser kollektive Lernprozeß konnte sich in der Bundesrepublik anders und leichter vollziehen als in der DDR. Zur Rechenschaft über den historischen Abstand gehört deshalb Fairneß gegenüber diesen Unterschieden. Wie beispielsweise sähe der Vergleich aus zwischen der unter Adenauer alsbald lautlos integrierten Masse der Mitläufer des NS-Regimes und denen, die auf der anderen Seite ihre – von vielen geteilten – sozialistischen Hoffnungen zunächst mit einem parteikommunistischen Regime verbunden haben? Die Deutschen, die sich westlich der sowjetischen Besatzungszone wiederfanden, hatten nicht nur in materieller Hinsicht das bessere Los gezogen. Auch für einen Mentalitätswandel sind hier die Bedingungen objektiv günstiger gewesen.

Die Wiederherstellung des demokratischen Rechtsstaates, die Einbeziehung in die westliche Allianz und die gründliche Besserung der wirtschaftlichen Lage waren die zentralen Weichenstellungen. Beiseite geräumt waren aber auch Bürden, die noch die Weimarer Republik belastet hatten: der preußische Zentralismus, das Ungleichgewicht und die Spaltung der Konfessionen, die Vormachtstellung und traditionsbildende Kraft des Militärs, überhaupt die politische Bedeutung der in traditionalen Gesellschaftsstrukturen verwurzelten Eliten. Die Konstellation der Supermächte erzwang zudem einen heilsamen Primat der Innenpolitik, und der wirtschaftliche Aufschwung der Rekonstruktionsperiode eröffnete den Spielraum für den Auf- und Ausbau des Sozialstaats. Der Verlust der nationalstaatlichen Souveränität und das eigene Interesse erleichterten schließlich die energisch betriebene Eingliederung in die Europäische Wirtschaftsgemeinschaft. So konnten die Bürger unter den Umständen einer zunehmend prosperierenden Gesellschaft Vertrauen zu ihrer politischen Ordnung gewinnen.

Aber die einleuchtende Opportunität der Westbindung allein hat nicht ausgereicht, um dieses »Systemvertrauen« breitenwirksam in eine demokratische Mentalität umzuwandeln. Aus der Gewöhnung an die Vorzüge einer politisch-strategischen Anlehnung an den Westen mußte eine politisch-kulturelle Westorientierung erst noch hervorgehen. Die Bürger mußten sich von der normativen Substanz der im Westen ausgebildeten politischen Traditionen überzeugen und in den eigenen Traditionen das verstümmelte Erbe von Humanismus und Aufklärung wiederentdecken. Denn eine Republik ist letztlich so stabil, wie die Prinzipien der Verfassung in den Überzeugungen und Praktiken ihrer Bürger Wurzeln schlagen. Eine solche Mentalität kann sich nur im Kontext einer freiheitlichen und streitbaren politischen Kultur herausbilden; sie kommt zustande durch Kritik und Auseinandersetzung in den Arenen einer nichtentmündigten, Argumenten noch zugänglichen, von keinem Privatfernsehen ruinierten Öffentlichkeit. Ein solches, mit administrativen Mitteln nicht herstellbares Geflecht aus Motiven und Gesinnungen, Kommunikationsformen und Praktiken ist der Gradmesser für die politische Zivilisierung eines Gemeinwesens.

Meine These ist nun, daß sich die Bundesrepublik erst in dem Maße politisch zivilisiert hat, wie sich unsere Wahrnehmungssperren gegen einen bis dahin undenkbar gewesenen Zivilisationsbruch gelockert haben. Wir mußten lernen, uns mit einer traumatischen Vergangenheit öffentlich zu konfrontieren. Daß sich in einer kulturell hoch zivilisierten Gesellschaft wie der deutschen eine liberale politische Kultur erst *nach* Auschwitz hat ausbilden können, ist eine schwer zu fassende Wahrheit. Daß sie sich *durch* Auschwitz, durch die Reflexion auf das Unbegreifliche, ausgebildet hat, ist weniger schwer zu verstehen, wenn man bedenkt, was Menschenrechte und Demokratie im Kern bedeuten: nämlich die einfache Erwartung, niemanden aus der politischen Gemeinschaft auszuschliessen und die Integrität eines jeden in seiner Andersheit gleichermaßen zu achten.

II.

Bis 1989 hatten wir gute Gründe, 1945 zwar nicht als Nullpunkt, aber als eine Zäsur in der jüngeren deutschen Geschichte zu betrachten. Seit 1989 stellen sich viele die Frage, *wie* tief dieser Einschnitt tatsächlich reicht. Mit diesem Datum verbinden sich neue deutsche Ungewißheiten. Der am 3. Oktober 1990 vollzogene Beitritt der aus der ehemaligen DDR hervorgegangenen Länder war keine republikanische Neugründung. Der Einigung ist keine politische Selbstverständigung vorausgegangen, keine Debatte über die Rolle der erweiterten Bundesrepublik, auch nicht über das, was beide Seiten legitimerweise voneinander erwarten dürfen. Das hatte gute und schlechte Folgen. Der Elitennationalismus einer Handvoll von Politikern und Intellektuellen hat in der Bevölkerung schon deshalb kein Echo gefunden, weil die Verteilungsprobleme, die hastig überspielt und eben nicht solidarisch in Angriff genommen worden sind, das aufgeklärte Selbstinteresse beider Seiten nachhaltig stimulieren. Belastender ist das in die nächste Generation weiterwirkende Ressentiment der Landsleute im Osten, die sich administrativ ausgemustert und entwertet fühlen. In unserem Zusammenhang ist eine dritte Konsequenz am wichtigsten: Wesentliche Fragen des politischen Selbstverständnisses sind offengeblieben, insbesondere die Frage, wie wir die »Normalität« der auf uns zukommenden Berliner Republik verstehen sollen.

In der alten Bundesrepublik hatte sich ein gewisses Gespür für die Dialektik der Normalisierung herausgebildet – also dafür, daß nur die Vermeidung eines auftrumpfend-zudeckenden Bewußtseins von »Normalität« auch in unserem Land halbwegs normale Verhältnisse hat entstehen lassen. Soll damit nun Schluß sein? Müssen wir unser Verständnis der Zäsur von 1945 im Licht der Ereignisse von 1989/90 revidieren? Oder sollte eine abgründige Ironie der Geschichte dem 9. November, dessen hier in der Paulskirche *nach wie vor* als des Jahrestags der Pogromnacht gedacht wird, doch nicht umsonst eine tief ambivalente Bedeutung eingeschrieben haben? Bleibt für uns Deutsche 1989, for the time being, im Schatten von 1945, weil wir uns nur im Lichte *dieser* Peripetie über die Zukunft unserer politischen Existenz klarwerden können?

Man kann das als eine Frage der historischen Interpunktion verstehen. Historiker schreiben Texte. Schon durch die Grammatik der Erzählung sind sie genötigt, ihre Sätze so zu organisieren, daß die Folge der erzählten Ereignisse durch Kommata, Punkte, Absätze und Kapiteleinteilungen gegliedert wird. So entstehen unvermeidlich mehr oder weniger tiefe Zäsuren, mehr oder weniger enge Zusammenhänge. Solche retrospektiv vorgenommenen Einschnitte sind relativ, weil nur die Kunst, nicht die Geschichte radikal neue Anfänge kennt. Aber für das Selbstverständnis derer, die in Traditionen stehen und ja oder nein sagen, also Traditionen fortsetzen oder unterbrechen können, gewinnen historische Markierungen manchal den handlungsorientierenden Sinn von Angelpunkten. Bisher haben sich die historischen Darstellungen unserer jüngeren Geschichte hauptsächlich durch ihre methodischen Ansätze voneinander unterschieden; sie waren eher theoriegeleitet oder narrativ, eher sozial- oder politik- und kulturgeschichtlich, eher struktur- oder personenorientiert angelegt. Stets bildete jedoch die Wendezeit um 1945 einen Angelpunkt. Das scheint sich zu ändern. Wenn ich recht sehe, zeichnen sich zwei revisionistische Lesarten ab, die eine *andere* Interpunktion der Zeitgeschichte vornehmen.

Für die eine Lesart bietet die Nationalgeschichte den Leitfaden. Aus der Perspektive der Wiederherstellung des Nationalstaats rücken die Kontinuitäten der Entwicklung seit der Gründung des Bismarck-Reichs in den Vordergrund. Die 1945 geteilte Nation hat erst nach 1989 ihre normale Form zurückgewonnen. Deshalb erscheinen die vergangenen 50 Jahre als Periode eines Sonderwegs, während dessen die Bundesrepublik eine mehr oder minder liebenswerte, aber nicht ganz ernst zu nehmende Rheinbundexistenz im Schatten der Weltgeschichte gefristet hat. Für die andere Lesart bietet die Carl Schmittsche Version des Weltbürgerkriegs den Leitfaden. Aus der Perspektive eines Kampfs des liberalen Westens gegen den Bolschewismus erscheint das NS-Regime nur als eine, wie immer auch radikale oder entartete Vorhut des sich selbst behauptenden okzidentalen Bürgertums. Die vorübergehende Allianz gegen das eingekreiste Deutschland gilt als eine Art Mißverständnis, das sich mit der Konstellation des Kalten Kriegs aufgeklärt hat. An dessen Ende springt die 1917 totalitär entgleiste Geschichte glücklicherweise in die normalen Bahnen naturwüchsiger Nationalgeschichten zurück.

Beide Lesarten stimmen in der Konsequenz überein, daß die Epochenwende von 1989/90 eine vorübergehende Anomalie beendet, die scheinbare Zäsur von 1945 eingeebnet und den Zivilisationsbruch wohltuend relativiert hat. Sie verheißt dem souverän gewordenen Deutschland eine normale Existenz in der Mitte Europas ohne »Angst vor der Macht«. Die Epochenschwelle, die zugleich die Rückkehr zu einem glücklicheren status quo ante ebnet, weckt eine dialektische Erwartung: einerseits verlangen die ganz neuen Probleme ganz neue Antworten; die aber sollen aus den versiegelten Tresoren einer Überlieferung geborgen werden, mit der wir seit 1945 »unrühmlich« gebrochen haben.

Daraus mag sich auch das merkwürdige Interesse an Hundertjährigen erklären. Ich meine die antiquarische Neugier für jenes konservativ-revolutionäre Muster des ganz Neuen im ganz Alten, das freilich für die enttäuschte Generation der aus dem Ersten Weltkrieg heimkehrenden Leutnants noch die Faszination des ganz Modernen gehabt hatte. Vielleicht erklärt die schwüle Mixtur von Aufbruchs- und Endzeitstimmung auch die analytische Schwäche und das diffus Gefühlige einer intellektuellen Szene, die mit saloppem Geschwätz, mediengerechten Injurien und jungkonservativem Tiefsinn den Tiefstand der öffentlichen Diskussion nicht einmal zu bemänteln sucht. Das Hantieren mit dem nur halb verstandenen Ausdruck »political correctness« verrät normative Enthemmung und kognitive Entdifferenzierung im Umgang mit sensiblen Themen. Die Kritik an diesem jüngsten Anglizismus läuft immer wieder auf eins hinaus: auf die Polemik gegen sogenannte »Bewältigungsprofis«. Diese Tendenz eint das Feuilleton der FAZ (vom 13. Januar und 20. März 1995) mit einer Neuen Rechten, die so neu ja nicht ist. Sollten wir nicht aufatmen dürfen, wenn der Bundespräsident in Dresden eine schwierige Situation ohne falsche Töne meistert?

Die offene Frage der Interpunktion unserer Zeitgeschichte werden am Ende die Historiker beantworten. Solche Interpunktionen verschieben sich gewiß mit hermeneutischen Ausgangslagen, mit den Zukunftsperspektiven der jeweiligen Gegenwart; aber die lassen sich nicht beliebig manipulieren. Aber auf den vierten Band der *Deutschen Gesellschaftsgeschichte* von Hans Ulrich Wehler können wir nicht warten. Deshalb erlaube ich mir als Nicht-Historiker eine kurze, eher sozialwissenschaftlich generalisierende Überlegung zu Leistungen und Grenzen des Nationalstaats. Was wir mit der glücklichen Wiederherstellung der Einheit eines vor Jahrzehnten zerrissenen Nationalstaats für unsere Zukunft gewonnen haben könnten, hängt ja in erster Linie davon ab, wie wir die Zukunft des Nationalstaats im allgemeinen einschätzen.

III.

Ich will die folgende These entwickeln: Die verschiedenen Tendenzen zur Globalisierung des Verkehrs und der Kommunikation, der wirtschaftlichen Produktion und ihrer Finanzierung, des Technologie- und Waffentransfers, des Drogenhandels und der Kriminalität, vor allem der strategischen wie ökologischen Gefahren konfrontieren uns mit Problemen, die innerhalb des nationalstaatlichen Rahmens nicht mehr bewältigt werden können. Die Aushöhlung der nationalstaatlichen Souveränität wird fortschreiten und den weiteren Ausbau politischer Handlungsfähigkeiten auf supranationaler Ebene nötig machen. »Globalisierung« bedeutet andererseits einen Schritt der Abstraktion, der den ohnehin brüchigen sozialen Zusammenhalt nationaler Gesellschaften gefährdet. Dieser Abstraktionsschritt setzt einen Prozeß fort, den wir aus der europäischen Neuzeit kennen. Auf die Herausforderung, eine neue Form der gesellschaftlichen Integration zu finden, war seinerzeit die Organisationsform des Nationalstaats eine überzeugende Antwort. Das legt die Konsequenz nahe, daß wir uns gerade dann, wenn wir heute mit Willen und Bewußtsein den Weg in postnationale Gesellschaften beschreiten, am Beispiel der Integrationsleistungen des Nationalstaats orientieren sollten. Andernfalls werden nur neue Organisationen entstehen, während Rechtsstaat und Demokratie auf der Strecke bleiben.

Wie schon der Name der »Vereinten Nationen« verrät, gliedert sich die Weltgesellschaft heute in Nationalstaaten, die sich gegenseitig als völkerrechtliche Subjekte anerkennen. Der geschichtliche Typus des im Westen und Norden Europas entstandenen, aus der Amerikanischen und der Französischen Revolution hervorgegangenen Nationalstaats hat sich weltweit durchgesetzt. Er war seinen Konkurrenten überlegen, sowohl den Stadtstaaten und Städtebündnissen als auch den modernen Nachfahren der Alten Reiche – vor unseren Augen wandelt sich mit China das letzte Imperium dieser Art. Dieser Erfolg des Nationalstaats geht natürlich zunächst auf die Vorzüge des modernen Staats *als solchem* zurück. Der gewaltmonopolisierende Verwaltungs- und Steuerstaat hat die produktiven Aufgaben weitgehend einer vom Staat differenzierten Wirtschaft überlassen; dadurch ist das Tandem von bürokratischem Staat und kapitalistischer Wirtschaft zum Fortbewegungsmittel der gesellschaftlichen Modernisierung geworden.

Wir alle leben heute in nationalen Gesellschaften, die ihre

Einheit einer staatlichen Organisation dieser Art verdanken. Solche Staaten bestanden freilich lange, bevor es im modernen Sinne »Nationen« gab. Staat und Nation sind erst seit der Französischen Revolution zum Nationalstaat verschmolzen. Was ist das Spezifische dieser Verbindung? Lassen Sie mich verzweigte und lang währende, durch das 19. Jahrhundert hindurchreichende Prozesse von den Ergebnissen her interpretieren und auf einen Nenner bringen. Die »Erfindung der Volksnation« (H. Schulze) hatte für die Demokratisierung der Staatsgewalt eine katalysatorische Wirkung. Eine demokratische Grundlage für die Legitimation von Herrschaft wäre ohne nationales Bewußtsein nicht entstanden. Denn erst die Nation hat zwischen Personen, die bis dahin Fremde füreinander gewesen waren, einen solidarischen Zusammenhang gestiftet. (Noch der Ausdruck »Solidarzuschlag« hat diese begriffsgeschichtliche Konnotation.) Die Leistung des Nationalstaates besteht also darin, daß er zwei Probleme in einem löst: er macht einen neuen Legitimationsmodus durch eine neue Form der sozialen Integration erst möglich.

Das Legitimationsproblem ergab sich, grob gesagt, daraus, daß die Konfessionsspaltung zur Privatisierung des Glaubens führte und damit der Herrschaft allmählich auch die religiöse Grundlage des Gottesgnadentums entzog: Der säkularisierte Staat mußte sich aus anderen Quellen rechtfertigen. Das Problem der gesellschaftlichen Integration hing, ebenso vereinfacht, mit Urbanisierung und wirtschaftlicher Modernisierung, mit der Ausdehnung und Beschleunigung des Waren-, Personen- und Nachrichtenverkehrs zusammen: die Bevölkerung wurde aus den ständischen Sozialverbänden der frühneuzeitlichen Gesellschaft herausgerissen und damit zugleich mobilisiert und vereinzelt. Auf beide Herausforderungen antwortete der Nationalstaat mit einer politischen Mobilisierung seiner Bürger;

er verknüpfte nämlich eine abstraktere Form der sozialen Integration mit veränderten politischen Entscheidungsstrukturen: aus Untertanen wurden Staatsbürger. Eine sich langsam durchsetzende demokratische Beteiligung schafft für die Bürger eine neue Ebene des sozialen Zusammenhalts, sie erschließt zugleich dem Staat eine säkulare Quelle der Legitimation. An diesem Prozeß der Umgestaltung des Staats müssen wir freilich zwei Aspekte auseinanderhalten – den politisch-rechtlichen und den eigentlich kulturellen.

Der Staat war bereits in den Formen des positiven Rechts konstituiert. Und er hatte sich dieses Mediums bedient, um den gesellschaftlichen Verkehr so zu organisieren, daß die Privatleute in den Genuß – zunächst ungleich verteilter – subjektiver Rechte gelangten. Mit der Organisationsform des (in Entwicklung befindlichen) bürgerlichen Privatrechts hatten die Gesellschaftsbürger, wie noch Kant sagen wird: in der Rolle von »Untertanen«, immerhin schon ein Stück privater Autonomie erhalten. Im Zuge der Umwandlung der Souveränität des Herrschers in Volkssouveränität verwandeln sich diese paternalistisch verliehenen Rechte des Untertanen in Rechte des Menschen und des Staatsbürgers. Diese garantieren neben der privaten nun auch die politische Autonomie, und zwar im Prinzip gleichmäßig für jedermann. Auf diese Weise geht aus dem Territorialstaat der demokratische Verfassungsstaat, also der Idee nach eine vom Volk selbst gewollte und durch demokratische Willensbildung legitimierte Ordnung hervor, in der sich die Adressaten des Rechts zugleich als dessen Autoren begreifen können.

Einer solchen rechtlich-politischen Umgestaltung hätte aber die Antriebskraft gefehlt, wenn nicht aus dem obrigkeitlich definierten »Volk« eine Nation selbstbewußter Staatsbürger geworden wäre. Zu dieser politischen Mobilisierung bedurfte es einer Idee von gesinnungsbildender Kraft, die stärker an Herz und Gemüt appelliert, als es die Ideen von Volkssouveränität und Menschenrechten allein vermocht hätten. Diese Lücke füllt die Idee der Nation; sie bringt den Bewohnern eines staatlichen Territoriums überhaupt erst eine neue, politisch vermittelte Form der Zusammengehörigkeit zu Bewußtsein. Erst das nationale Bewußtsein, das sich um gemeinsame Abstammung, Sprache und Geschichte kristallisiert, erst das Bewußtsein der Zugehörigkeit zu einem Volk macht die Untertanen zu Bürgern ein und desselben politischen Gemeinwesens, die sich *füreinander* verantwortlich fühlen. Die Nation oder der Volksgeist – diese erste moderne Form einer kollektiven Identität überhaupt – liefern also der rechtlichen Organisationseinheit des Staats das kulturelle Substrat. Die künstliche, propagandistisch gesteuerte Umformung der »Nation« der Herrschaftsstände in die Volksnation wird von Historikern als ein längerfristiger, von Intellektuellen und Gelehrten inspirierter Bewußtseinswandel beschrieben, der sich zunächst im gebildeten städtischen Bürgertum durchsetzt, bevor er in der breiten Bevölkerung ein Echo findet.

IV.

Allerdings erkauft sich der Nationalstaat diese Vorzüge mit einem ambivalenten Selbstverständnis. Die Idee der Nation verbindet sich nämlich mit jenem machiavellistischen Selbstbehauptungswillen, von dem sich der souveräne Staat in der Arena der großen Mächte von Anbeginn hatte leiten lassen. Neben den beiden egalitären Freiheitsbegriffen, der privaten Freiheit der Gesellschaftsbürger und der politischen Autonomie der Staatsbürger, kommt damit ein dritter Begriff ins Spiel – der ganz andere, nämlich partikularisti-

sche Begriff der nationalen Freiheit. Er meint die Unabhängigkeit der jeweils eigenen Nation, die notfalls mit dem
»Blut der Söhne« verteidigt werden muß. Diese kollektive
Freiheit ist, im Unterschied zu den republikanischen Freiheiten der Individuen, jener Ort, an dem sich der säkularisierte Staat einen nicht säkularisierten Rest von Transzen-
denz bewahrt. Der kriegführende Nationalstaat erlegt
seinen Bürgern die Pflicht auf, für das Kollektiv ihr Leben
zu riskieren: »Die Aufopferung für die Individualität des
Staates ist das substantielle Verhältnis aller und hiermit allgemeine Pflicht« (Hegel, *Rechtsphilosophie*, § 325). Seit der
Französischen Revolution ist die allgemeine Wehrpflicht die
Kehrseite der Bürgerrechte; in der Bereitschaft, für das
Vaterland zu kämpfen und zu sterben, sollen sich gleichermaßen das nationale Bewußtsein und die republikanische
Gesinnung bewähren.

Diese doppelte Codierung zeigt sich auch an den In-
schriften der historischen Erinnerungen: Die Marksteine
des Kampfs um die republikanische Freiheit verbinden sich
mit der Todessymbolik der Gedenkzeremonien für die im
Feld Gefallenen. In dieser doppelten Erinnerungsspur spiegelt sich die zwiespältige Natur der Nation – die gewollte
Nation der Staatsbürger, die demokratische Legitimation
schafft, sowie die geborene Nation der Volksgenossen, die
für soziale Integration sorgt. *Staatsbürger* konstituieren
sich aus eigener Kraft als eine politische Assoziation von
Freien und Gleichen; *Volksgenossen* finden sich in einer
durch gemeinsame Sprache und geschichtliches Schicksal
geprägten ethnischen Gemeinschaft vor. In den Nationalstaat ist die Spannung zwischen dem Universalismus einer
egalitären Rechtsgemeinschaft und dem Partikularismus einer historischen Schicksalsgemeinschaft eingebaut.

Diese beiden Elemente fügen sich nur dann nahtlos zusammen, wenn sich der restlos säkularisierte Staat nicht

länger im Namen des Kollektivs ein Recht über Leben und Tod seiner Bürger anmaßt (also Todesstrafe und allgemeine Wehrpflicht abschafft). Dann kann die republikanische Idee in Führung gehen und ihrerseits die sozial integrierenden Lebensformen durchdringen und strukturieren. Die Republik nimmt Schaden, wenn umgekehrt die integrative Kraft der Nation auf eine vorpolitische Gegebenheit, auf eine von politischer Willensbildung unabhängige Tatsache zurückgeführt wird. Die derart *naturalisierte* Nation verdrängt die geschichtliche Kontingenz der Zusammensetzung des Gemeinwesens und befestigt dessen zufällig zustande gekommenen Grenzen mit der Aura des Naturwüchsigen. Wohl ist die Volksnation weitgehend ein Artefakt, aber sie imaginiert sich selbst als ein organisch Gewachsenes, das sich im Gegensatz zur artifiziellen Ordnung des positiven Rechts von selbst versteht.

Die Geschichte des Imperialismus zwischen 1871 und 1914 und erst recht der integrale Nationalismus des 20. Jahrhunderts belegen, daß die Idee der Nation fast immer nur in ihrer partikularistischen Lesart mobilisierende Kraft entfaltet hat. Erst nach der Zäsur von 1945 ist diese Energiequelle erschöpft. Erst als den europäischen Mächten unter dem nuklearen Schirm der Supermächte eine eigene Außenpolitik versagt wird, löst sich das Selbstverständnis des demokratischen Rechtsstaats nicht nur in der Theorie, sondern auch in der breiten Bevölkerung von den Mustern nationaler Selbstbehauptung und geopolitischer Machtpolitik. Die gesellschaftlichen Konflikte im Inneren konnten nun auch unter dem Primat der Innenpolitik bearbeitet werden. Diese Tendenz zu einem gewissermaßen »postnationalen« Selbstverständnis des politischen Gemeinwesens mag sich in der besonderen Situation der Bundesrepublik, die wesentlicher Souveränitätsrechte beraubt war, stärker durchgesetzt haben als in anderen Staaten. Aber in allen diesen Ländern hat die sozialstaatliche Pazifizierung des Klassenantagonismus eine neue Lage geschaffen. Im Lauf der Nachkriegszeit sind soziale Sicherungssysteme auf- und ausgebaut, Reformen in Schule, Familie, Strafrecht, Datenschutz usw. durchgesetzt, feministische Gleichstellungspolitiken in Gang gebracht worden. Der Status der Bürger ist, wie unvollkommen auch immer, in seiner rechtlichen Substanz erweitert worden. Das hat, und darauf kommt es mir hier an, die Bürger selbst für den *Vorrang* des Themas der Verwirklichung von Grundrechten sensibel gemacht – für jenen Vorrang, den die reale Nation der Staatsbürger, wenn es nicht schiefgehen soll, vor einer imaginären Nation der Volksgenossen behalten muß.

Der Witz des Republikanismus besteht darin, daß der demokratische Prozeß zugleich die Ausfallbürgschaft für die soziale Integration einer immer weiter ausdifferenzierten Gesellschaft übernimmt. In einer kulturell und weltanschaulich pluralistischen Gesellschaft darf diese Bürde nicht von den Ebenen der politischen Willensbildung und öffentlichen Kommunikation auf das scheinbar naturwüchsige Substrat eines vermeintlich homogenen Volkes verschoben werden. Hinter dieser Fassade verbirgt sich doch nur eine hegemoniale Mehrheitskultur. Diese muß sich aber aus ihrer Fusion mit der von *allen* Staatsbürgern geteilten *politischen* Kultur lösen, wenn innerhalb desselben Gemeinwesens verschiedene kulturelle, religiöse und ethnische Lebensformen gleichberechtigt sollen neben- und miteinander existieren können. Darin sind uns klassische Einwanderungsländer wie die USA voraus; hier kann jeder mit zwei Identitäten gleichzeitig leben, im eigenen Land Angehöriger und Fremder zugleich sein.

Aus den gewiß konfliktreichen und schmerzhaften Prozessen des Übergangs zu multikulturellen Gesellschaften geht eine bereits über den Nationalstaat hinausweisende

Form der sozialen Integration hervor. Der Prozeß der Bildung von Nationen wiederholt sich auf abstrakterer Ebene: die politischen Entscheidungsstrukturen erhalten ein neues kulturelles Substrat. Denn wiederum ist es die politisch-kulturelle Integration, die gemeinsame Bindung an historisch errungene republikanische Freiheiten, wiederum ist es eine im historischen Bewußtsein verankerte Loyalität zu einer überzeugenden politischen Ordnung, die über alle subkulturellen Differenzen hinweg das wechselseitige Einstehen der Bürger füreinander motiviert.

Der Republikanismus kommt in dem Maße zu sich selbst, wie er das ambivalente Potential des Nationalismus, das ihm einst als Vehikel gedient hat, abschüttelt. Die im Schoß des Nationalstaats ausgebrütete multikulturelle Form der sozialen Integration muß sich jenseits des Nationalstaats erst noch bewähren. Die zur Europäischen Union zusammenwachsenden Staaten beispielsweise müssen eine gemeinsame politische Kultur noch entwickeln. Bevor eine europäische Verfassung greifen kann, muß sich jedenfalls eine europaweite Öffentlichkeit bilden, die den Bürgern, und nicht nur den Regierungen, eine gemeinsame politische Willensbildung erlaubt. Viele halten das für bloße Utopie. Aber dieselben globalen Probleme, die uns heute überwältigen und Skepsis hervorrufen, treiben uns aus eigenem Interesse in ebendiese Richtung.

V.

Der Nationalstaat hat seine territorialen und sozialen Grenzen geradezu neurotisch bewacht. Er wird heute durch grenzüberschreitende globale Tendenzen herausgefordert, die diese Kontrollen längst durchlöchert haben. A. Giddens hat »Globalisierung« als die Verdichtung weltweiter Beziehungen definiert, welche die gegenseitige Einwirkung lokaler und weit entfernter Ereignisse zur Folge haben. Die weltweiten physischen, sozialen oder symbolischen Kontakte werden über räumlich umspannende und zeitlich beschleunigte Verbindungen, vor allem über elektronische Medien, hergestellt. Diese Kommunikationen laufen über natürliche Sprachen oder über spezielle Kodes, wie z. B. Geld. Sie fördern einerseits die Expansion des Bewußtseins von Aktoren, andererseits die Verzweigung, Reichweite und Verknüpfung von Systemen, Netzwerken und Organisationen. Dem entspringen zwei gegenläufige Tendenzen – gleichzeitig die *Erweiterung* und die *Fragmentierung* des Bewußtseins planender, miteinander kommunizierender und handelnder Subjekte.

Wenn sich die vervielfältigten Kommunikationen nicht nur zentrifugal ausbreiten und in globalen Dorfgemeinschaften verlieren, sondern eine fokussierte Meinungs- und Willensbildung fördern sollen, müssen Öffentlichkeiten hergestellt werden. Die Beteiligten müssen zur gleichen Zeit zu gleichen Themen von gleicher Relevanz Beiträge austauschen können. Über einen solchen Typ von – seinerzeit literarisch vermittelter – Kommunikation hatte der Nationalstaat einen neuen solidarischen Zuammenhang geknüpft, der es möglich machte, die Abstraktionsschübe der Modernisierung gewissermaßen aufzufangen und eine aus traditionalen Lebenszusammenhängen herausgerissene Bevölkerung in die Kontexte erweiterter und rationalisierter Lebenswelten wieder einzubetten. Angesichts des inzwischen eingetretenen Abstraktionsschubes stellt sich die Frage, ob sich die republikanische Idee einer bewußten Einwirkung der Gesellschaft auf sich selbst überhaupt noch politisch institutionalisieren läßt. Die Frage ist, ob ein expandierendes, aber lebensweltlich zentriertes öffentliches Bewußtsein die systemisch ausdifferenzierten Zusammenhänge überhaupt noch umspannen kann oder ob die selbständig gewordenen systemischen Abläufe längst alle durch politische Kommunikation gestifteten Zusammenhänge abgehängt haben.

Heute überwiegen die skeptischen Antworten. Sie haben den Tenor, daß mit dem Nationalstaat jede normativ anspruchsvolle politische Vergesellschaftung am Ende ist. In dieser nachpolitischen Welt werde das transnationale Unternehmen zum Verhaltensmodell. J. M. Guéhenno schildert das »Ende der Demokratie« aus der Sicht von Bürgern, die aus dem liquidierten Zusammenhang der staatlichen Solidargemeinschaft entlassen sind. Sie müssen sich illusionslos in der unübersichtlichen Gemengelage frei flottierender Selbstbehauptungssysteme zurechtfinden; auf sich gestellt, orientieren sie sich nur noch an Regeln für eine möglichst rationale Wahl zwischen systemisch erzeugten Optionen. In der Welt anonym vernetzter Beziehungen operieren sie gleichsam auf globalen Märkten mit betriebswirtschaftlich lokalem Bewußtsein. Überdeutlich ist der neoliberale Kern dieser Vision. Die Autonomie der Bürger, die sich den unüberschaubar gewordenen, aber im Sinne einer »Logik der Vernetzung« irgendwie spontan geregelten Prozessen der Weltgesellschaft aussetzen, wird kurzerhand um die Komponente staatsbürgerlicher Selbstbestimmung verkürzt und auf Privatautonomie beschränkt.

Aber die bekannten Beispiele für solche Mechanismen der Selbstregulierung sind nicht eben vertrauenerweckend. Das »Gleichgewicht der Mächte«, auf dem das internationale System drei Jahrhunderte lang beruhte, ist spätestens mit dem Zweiten Weltkrieg zusammengebrochen. Mit der Gründung der UNO ist damals ein zweiter Anlauf unternommen worden, um supranationale Handlungskapazitäten für eine nach wie vor in den Anfängen stehende globale Friedensordnung aufzubauen. Und der Weltmarkt, das andere Beispiel für spontane Vernetzung, darf offensichtlich nicht allein der Regie von Weltbank und Internationalem Währungsfond überlassen bleiben, wenn je die asymmetrische Interdependenz zwischen der OECD-Welt und jenen marginalisierten Ländern, die selbsttragende Ökonomien noch entwickeln müssen, überwunden werden soll. Die Rechnung, die der Weltsozialgipfel in Kopenhagen soeben präsentiert hat, ist erschütternd. Supranationale Handlungskapazitäten fehlen erst recht für jene ökologischen Probleme, die in ihrem globalen Zusammenhang auf dem Erdgipfel von Rio de Janeiro verhandelt worden sind. Eine friedlichere und gerechtere Welt- und Weltwirtschaftsordnung ist ohne handlungsfähige internationale Institutionen nicht vorzustellen, vor allem nicht ohne Abstimmungsprozesse zwischen den heute erst im Entstehen begriffenen regionalen Regimen im Rahmen und unter dem Druck einer weltweit mobil gewordenen Zivilgesellschaft.

Das Fehlen supranational handlungsfähiger Instanzen, die auf das globale System nach Maßgabe einer koordinierten Weltinnenpolitik einwirken könnten, macht sich auch im eigenen Haus bemerkbar. Die Standortdebatten, die wir heute führen, bringen die Schere zu Bewußtsein, die sich auftut zwischen nationalstaatlich begrenzten Handlungsspielräumen und Imperativen nicht etwa des Welthandels, sondern der global vernetzten Produktionsverhältnisse. Der Kapitalismus hat sich gewiß von Anbeginn in weltweiten Dimensionen entwickelt. Und jahrhundertelang hat die im Rahmen des europäischen Staatensystems freigesetzte Dynamik der wirtschaftlichen Entwicklung die Nationalstaaten eher gestärkt. Souveräne Staaten können auch mit Freihandelszonen gut leben. Aber sie profitieren von ihren jeweiligen Ökonomien nur so lange, wie es sich noch um »Volkswirtschaften« handelt, auf die sie mit politischen Mitteln indirekt Einfluß nehmen können. Mit der Denationalisierung der Wirtschaft, insbesondere der weltweiten Vernetzung der Finanzmärkte und der industriellen Produktion selbst, verliert jedoch die nationale Politik die Herrschaft über die allgemeinen Produktionsbedingungen. Die Regierungen sehen sich immer stärker dazu gedrängt, für das Ziel der internationalen Wettbewerbsfähigkeit eine hohe Dauerarbeitslosigkeit in Kauf zu nehmen und den Sozialstaat nicht nur um-, sondern ernstlich abzubauen. Heute wird bereits die Abschaffung der öffentlichen Renten- und Krankenversicherung propagiert. Wer das tut, muß aber bereit sein, mit einer Unterklasse im eigenen Land zu leben.

Underclass nennen Soziologen jenes Bündel marginalisierter Gruppen, die von der übrigen Gesellschaft weitgehend segmentiert sind. Diejenigen, die ihre soziale Lage nicht mehr aus eigener Kraft ändern können, sind aus dem Zusammenhang staatsbürgerlicher Solidarität herausgefallen. Sie verfügen über kein Drohpotential mehr – sowenig wie die ehemals Dritte Welt gegenüber der Ersten. Allerdings bedeutet Segmentierung nicht, daß ein politisches Gemeinwesen einen ihrer Teile *folgenlos* abspalten könnte. Wie man heute schon andernorts studieren kann, sind, auf längere Sicht, mindestens drei Konsequenzen unausweichlich. Eine Unterklasse erzeugt soziale Spannungen, die sich in selbstdestruktiv-ziellosen Revolten entladen und nur mit repressiven Mitteln kontrolliert werden können. Der Bau von Gefängnissen, die Organisation der inneren Sicherheit überhaupt, wird zur Wachstumsindustrie. Ferner lassen sich soziale Verwahrlosung und physische Verelendung nicht lokal begrenzen. Das Gift der Gettos greift auf die Infrastruktur von Innenstädten, ja Regionen über und setzt sich in den Poren der ganzen Gesellschaft fest. Das hat schließlich eine moralische Erosion der Gesellschaft zur Folge, die jedes republikanische Gemeinwesen in seinem universalisti-

schen Kern versehren muß. Formal korrekt zustande gekommene Mehrheitsbeschlüsse, die nur die Statusängste
und Selbstbehauptungsreflexe einer vom Abstieg bedrohten
Mittelschicht widerspiegeln, untergraben nämlich die Legitimität der Verfahren und Institutionen von Rechtsstaat und
Demokratie.

Wer auf die Signale einer solchen Desolidarisierung mit
dem Appell an die »Selbstbewußte Nation« oder mit dem
Rückruf zur »Normalität« der wiederhergestellten nationalstaatlichen Existenz antwortet, treibt den Teufel mit dem
Beelzebub aus. Denn an diesen Folgen ungelöster globaler
Probleme zeigen sich gerade die *Grenzen* des Nationalstaats. Aus dem dumpfen Trommelwirbel der Nationalgeschichte erstehen Kriegerdenkmäler mit beschränkter Aussicht. Zur Lehrmeisterin taugt die Geschichte nur als kritische Instanz. Sie sagt uns im besten Fall, wie wir es *nicht*
machen sollen. Es sind Erfahrungen negativer Art, aus
denen wir lernen. Deshalb wird 1989 nur so lange ein glück-
liches Datum bleiben, wie wir 1945 als das eigentlich lehr-
reiche respektieren.

Heute müssen wir das republikanische Erbe des Nationalstaats auf europäischer Ebene fortzuführen suchen. Eine
Berliner Republik ohne den fatalen Beigeschmack falscher
Kontinuitäten würde sogar weniger autonom sein und doch
initiativreicher operieren als die alte Bundesrepublik. Sie
würde sich nicht, mit dem Blick nach Osten, als souveräne
Vormacht gerieren, sondern konzertiert handeln. Sie würde
ihren Einfluß innerhalb des institutionellen Rahmens einer
demokratisch ausgebauten Europäischen Union geltend
machen und darauf einwirken, daß die Europäer gemeinsam, nach außen wie nach innen, ihrer Verantwortung
gerecht werden. Als Teil eines größeren, zur Solidarität genötigten Ganzen würde diese Republik nicht länger den
Argwohn der Nachbarn gegen Supermark und Großmacht-

aspiration wecken. Statt von Berlin aus klirrende Entscheidungen zu treffen, müßte sie in Straßburg und Brüssel Mehrheiten gewinnen. Derart entlastet, brauchte sie Perspektiven nicht zu scheuen. Sie könnte an der Operationalisierung langfristiger Ziele arbeiten, von denen ja erst Motivationsschübe ausgehen können, wenn sie nicht länger unter Utopieverdacht stehen. Die Europäer tragen Verantwortung für beides: dafür, daß die Organisation der Völkergemeinschaft für eine kooperative Lösung der immer ausgloseren globalen Probleme endlich fit gemacht, und dafür, daß in den eigenen Gesellschaften der Verfall der erreichten sozialen Standards sowie die daraus folgende wohlstandschauvinistische Spaltung aufgehalten werden.

Nachweise

Aus der Geschichte lernen? Zuerst erschienen in: *Sinn und Form*, 2, 1994, S. 184-189. Text eines Vortrags für eine von Friedrich Schorlemmer initiierte Tagung der Evangelischen Akademie in Wittenberg, Januar 1994.

Was bedeutet »Aufarbeitung der Vergangenheit« heute? Zuerst erschienen in: *Die Zeit* vom 3. April 1992.

Antworten auf Fragen einer Enquete-Kommission des Bundestags. Zuerst erschienen in: *Deutschland-Archiv*, Juli 1994, S. 772-777. Die Sitzung fand am 4. Mai 1994 im Berliner Reichstagsgebäude statt.

Französische Blicke, französische Befürchtungen. Das Interview führten Roger-Pol Droit und Jacques Poulain. *Le Monde* vom 13. Sept. 1993.

Das deutsche Sonderbewußtsein regeneriert sich von Stunde zu Stunde. Das Interview führten Wolfram Schütte und Thomas Assheuer. *Frankfurter Rundschau* vom 12. Juni 1993.

Die Hypotheken der Adenauerschen Restauration. Das Interview führte Markus Schwering. *Kölner Stadtanzeiger* vom 18. Juni 1994.

Der *Brief an Christa Wolf* vom 26. 11. 1991 geht auf eine Diskussion in der (damals noch bestehenden) Ost-Berliner Akademie der Künste zurück; zusammen mit ihrer Antwort erschienen in: Christa Wolf, *Auf dem Weg nach Tabou*, Köln 1994, S. 140-149.

Carl Schmitt in der politischen Geistesgeschichte der Bundesrepublik. Zuerst erschienen in: *Die Zeit* vom 3. Dezember 1993. Rezension von: Dirk van Laak, *Gespräche in der Sicherheit des Schweigens*, Berlin 1993.

Das Falsche im Eigenen. Zuerst erschienen in: *Die Zeit* vom 23. September 1994. Rezension von: Theodor W. Adorno, Walter Benjamin, *Briefwechsel 1928-1940*, Frankfurt/Main 1994.

Ein Gespräch über Fragen der politischen Theorie – schwedisch in: *Res Publica*, 3, 1994, S. 36-58, holländisch in: *Krisis*, Nr. 57, 1994, S. 75-85 – fand im Februar 1993 statt. Die Fragen entwickelten ein schwedischer und ein holländischer Kollege, Mikael Carleheden und René Gabriels.

1989 im Schatten von 1945. Zur Normalität einer künftigen Berliner Republik. Rede zur 50. Wiederkehr des 8. Mai 1945, gehalten am 7. Mai 1995 in der Frankfurter Paulskirche. Unveröffentlicht.

Jürgen Habermas
im Suhrkamp Verlag

Theorie des kommunikativen Handelns. 2 Bde. Band 1: Handlungs-
rationalität und gesellschaftliche Rationalisierung. Band 2: Zur Kritik
der funktionalistischen Vernunft. 1981. Leinen und es 1502

Vorstudien und Ergänzungen zur Theorie des kommunikativen Handelns. 1984. Leinen und kartoniert

Strukturwandel der Öffentlichkeit. Untersuchungen zu einer Kategorie
der bürgerlichen Gesellschaft. Mit einem Vorwort zur Neuauflage
1990. 1990. Leinen und stw 891

Der philosophische Diskurs der Moderne. Zwölf Vorlesungen. 1985.
Leinen und stw 749

Nachmetaphysisches Denken. Philosophische Aufsätze. 1988. Leinen
und kartoniert

Zur Logik der Sozialwissenschaften. Fünfte, erweiterte Auflage. 1982.
Leinen, kartoniert und stw 517

Philosophisch-politische Profile. Erweiterte Ausgabe. 1981. Leinen und
stw 659

Kleine Politische Schriften I-IV. 1981. Leinen und kartoniert

Die Neue Unübersichtlichkeit. Kleine Politische Schriften V. 1985.
es 1321

Eine Art Schadensabwicklung. Kleine Politische Schriften VI. 1987.
es 1453

Die nachholende Revolution. Kleine politische Schriften VII. 1990.
es 1633

Technik und Wissenschaft als Ideologie. 1968. es 287

Legitimationsprobleme im Spätkapitalismus. 1973. es 623

Erkenntnis und Interesse. Mit einem neuen Nachwort. 1973. stw 1

Zur Rekonstruktion des Historischen Materialismus. 1976. stw 154

Theorie und Praxis. Sozialphilosophische Studien. 1971. stw 243

Texte und Kontexte. 1991. stw 944

Moralbewußtsein und kommunikatives Handeln. 1983. stw 422

Erläuterungen zur Diskursethik. 1991. stw 975

Jürgen Habermas/Dieter Henrich: Zwei Reden. Aus Anlaß der Verleihung des Hegel-Preises 1973 der Stadt Stuttgart an Jürgen Habermas
am 19. Januar 1974. 1974. st 202

Jürgen Habermas/Niklas Luhmann: Theorie der Gesellschaft oder
Sozialtechnologie – Was leistet die Systemforschung? Theorie. 1971.
Kartoniert

Hans-Georg Gadamer/Jürgen Habermas: Das Erbe Hegels. Zwei
Reden aus Anlaß der Verleihung des Hegel-Preises 1979 der Stadt
Stuttgart an Hans-Georg Gadamer am 13. Juni 1979. 1979. st 596

49/1/5.91

Jürgen Habermas
im Suhrkamp Verlag

Stichworte zur ›Geistigen Situation der Zeit‹. 2 Bde. 1. Band: Nation und Republik. 2. Band: Politik und Kultur. Herausgegeben von Jürgen Habermas. 1979. es 1000

Zu Jürgen Habermas

René Görtzen: Jürgen Habermas: Eine Bibliographie seiner Schriften und der Sekundärliteratur 1952-1981. 1981. Leinen

Kommunikatives Handeln. Beiträge zu Jürgen Habermas' ›Theorie des kommunikativen Handelns‹. Herausgegeben von Axel Honneth und Hans Joas. 1986. stw 625

Thomas McCarthy: Kritik der Verständigungsverhältnisse. Zur Theorie von Jürgen Habermas. Übersetzt von Max Looser. Mit einem Anhang zur Taschenbuchausgabe. Übersetzt von Friedhelm Lövenich. 1980. stw 782

Theorie der Gesellschaft oder Sozialtechnologie. Beiträge zur Habermas-Luhmann-Diskussion von Klaus Eder, Bernhard Willms, Karl Hermann Tjaden, Karl Otto Hondrich, Hartmut v. Hentig, Harald Weinrich und Wolfgang Lipp. Herausgegeben von Franz Maciejewski. Theorie-Diskussion-Supplement 1. 1973. Kartoniert

Theorie der Gesellschaft oder Sozialtechnologie. Neue Beiträge zur Habermas-Luhmann-Diskussion. Herausgegeben von Franz Maciejewski. Theorie-Diskussion-Supplement 2. 1974. Kartoniert

Zwischenbetrachtungen. Im Prozeß der Aufklärung. Herausgegeben von Axel Honneth, Thomas McCarthy, Claus Offe, Albrecht Wellmer. 1989. Leinen

49/2/5.91